#교과서×사고력
#게임하듯공부해
#스티커게임?리얼공부!

Go! 매쓰
초등 수학

저자 김보미

- 네이버 대표카페 '성공하는 공부방 운영하기' 운영자
- '미래엔', '메가스터디', '천재교육' 교재 기획 및 집필
- 전국 1,000개 이상의 공부방/선생님 컨설팅 및 교육
- 현재 《GO! 매쓰》 수학 공부방 운영

**Chunjae
Makes
Chunjae**

▼

기획총괄	김안나
편집개발	이근우, 서진호, 최수정, 김혜민
디자인총괄	김희정
표지디자인	윤순미
내지디자인	박희춘, 이혜미
제작	황성진, 조규영

발행일	2021년 1월 15일 2판 2023년 12월 1일 2쇄
발행인	(주)천재교육
주소	서울시 금천구 가산로9길 54
신고번호	제2001-000018호
고객센터	1577-0902
교재 구입 문의	1522-5566

교과서 GO! 사고력 GO!

GO! 매쓰

Run-B
교과서 사고력

수학 3-1

구성과 특징

1주차 교과 집중 학습

1 교과서 개념 완성

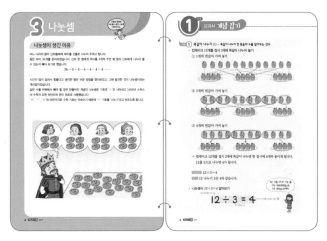

재미있는 수학 이야기로 단원에 대한 흥미를 높이고, 교과서 개념과 기본 문제를 학습합니다.

2 교과서 개념 PLAY

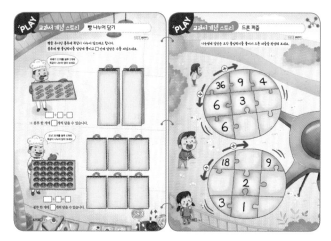

게임으로 개념을 학습하면서 집중력을 높여 쉽게 개념을 익히고 기본을 탄탄하게 만듭니다.

3 문제 풀이로 실력 & 자신감 UP!

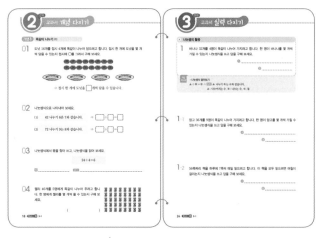

한 단계 더 나아간 교과서와 익힘 문제로 개념을 완성하고, 다양한 문제 유형으로 응용력을 키웁니다.

4 서술형 문제 풀이

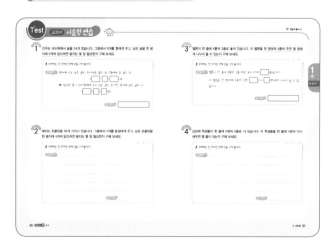

시험에 잘 나오는 서술형 문제 중심으로 단계별로 풀이하는 연습을 하여 서술하는 힘을 높여 줍니다.

2 ^{주차} 사고력 확장 학습

1 사고력 PLAY

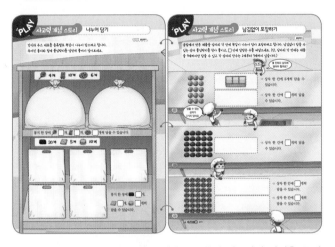

교과 심화 문제와 사고력 문제를 게임으로 쉽게 접근하여 어려운 문제에 대한 거부감을 낮추고 집중력을 높입니다.

2 교과 사고력 잡기

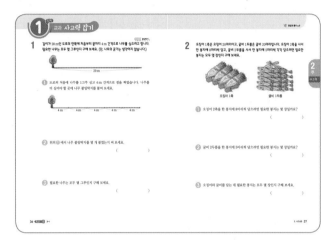

문제에 필요한 요소를 찾아 단계별로 해결하면서 문제 해결력을 키울 수 있는 힘을 기릅니다.

3 교과 사고력 확장+완성

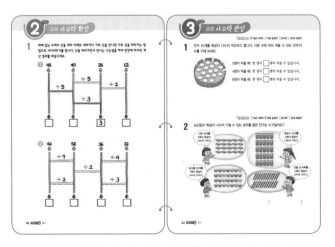

틀에서 벗어난 생각을 하여 문제를 해결하는 창의적 사고력을 기를 수 있는 힘을 기릅니다.

4 종합평가 / 특강

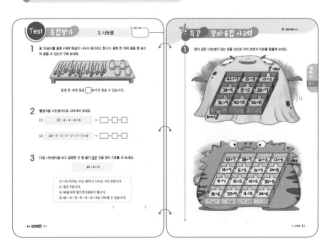

교과 학습과 사고력 학습을 얼마나 잘 이해하였는지 평가하여 배운 내용을 정리합니다.

3 나눗셈

단원과 관련된
나눗셈이 생긴 이유를
살펴보아요.

나눗셈이 생긴 이유

어느 나라의 왕이 신하들에게 파이를 선물로 나누어 주려고 합니다.

왕은 파이 36개를 준비하였습니다. 신하 한 명에게 파이를 4개씩 주면 몇 명의 신하에게 나누어 줄 수 있는지 빼어 보기로 했습니다.

$$36 - 4 - 4 - 4 - 4 - 4 - 4 \cdots\cdots$$

시간이 많이 걸려서 힘들다고 생각한 왕은 쉬운 방법을 찾아보았고, 그때 발견한 것이 나눗셈이라는 계산법이었습니다.

같은 수를 반복해서 빼야 할 경우 만들어진 개념인 나눗셈은 기호로 '÷'로 나타내고 1659년 스위스의 수학자 요한 하인리히 란이 최초로 사용했습니다.

'+', '-', '×'와 마찬가지로 수학 기호는 약속이기 때문에 '÷' 기호를 '나누기'라고 부르도록 합니다.

파이 36개를 한 명에게 4개씩 주려고 합니다. 파이 붙임딱지를 붙여 보고 몇 명의 신하에게 나누어 줄 수 있는지 알아보세요.

→ ☐명에게 나누어 줄 수 있습니다.

위의 풀이 과정을 뺄셈식으로 나타내고 ☐ 안에 알맞은 수를 써넣으세요.

$$36-4-4-4-4-4-4-\boxed{}-\boxed{}-\boxed{}=0$$

→ 36에서 4를 ☐번 빼면 0이 됩니다.

개념 1 **똑같이 나누기** (1) – 똑같이 나누어 한 묶음의 수를 알아보는 경우

• 컵케이크 12개를 접시 3개에 똑같이 나누어 놓기

① 1개씩 번갈아 가며 놓기

② 2개씩 번갈아 가며 놓기

③ 4개씩 번갈아 가며 놓기

➡ 컵케이크 12개를 접시 3개에 똑같이 나누면 한 접시에 4개씩 놓이게 됩니다.

12를 3으로 나누면 4가 됩니다.

나눗셈식 $12 \div 3 = 4$

읽기 12 나누기 3은 4와 같습니다.

• 나눗셈식 $12 \div 3 = 4$ 알아보기

나누어지는 수 ┐

$$12 \div 3 = 4$$

└ 나누는 수

← 12를 3으로 나눈 몫

4는 12를 3으로 나눈 몫,
12는 나누어지는 수,
3은 나누는 수예요.

개념 확인 문제

1-1 사탕 15개를 3상자에 똑같이 나누어 담으려고 합니다. 상자 한 개에 사탕을 몇 개씩 담을 수 있는지 상자에 ○를 그려 알아보세요.

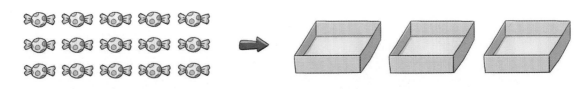

➡ 상자 한 개에 사탕을 ☐ 개씩 담을 수 있습니다.

1
주

교과서

1-2 나눗셈식을 읽어 보세요.

(1) $20 \div 4 = 5$　읽기　_____

(2) $14 \div 2 = 7$　읽기　_____

1-3 붙임딱지 10장을 5곳에 똑같이 나누어 붙이면 한 곳에 몇 장씩 붙일 수 있는지 나눗셈식으로 나타내어 보세요.

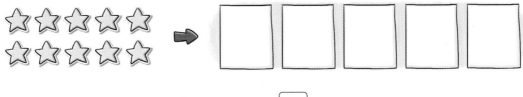

$10 \div 5 = \boxed{}$

1-4 과자 18개를 6명이 똑같이 나누어 먹으려고 합니다. 한 명이 과자를 몇 개씩 먹을 수 있는지 나눗셈식으로 나타내어 보세요.

　　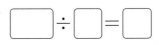

$\boxed{} \div \boxed{} = \boxed{}$

개념 2 똑같이 나누기 (2) − 똑같이 나누었을 때 묶음 수를 알아보는 경우

• 사과 15개를 한 바구니에 3개씩 담기

➜ 사과 15개를 한 바구니에 3개씩 담으려면 바구니가 5개 필요합니다.

• 바둑돌 15개를 3개씩 덜어 내기

➜ 바둑돌 15개를 3개씩 덜어 내면 5번 덜어 낼 수 있습니다.

뺄셈식 $15-3-3-3-3-3=0$

3개씩 5번 덜어 낼 수 있습니다.

나눗셈식 $15÷3=5$

뺄셈식을 나눗셈식으로 나타낼 수 있어요.

• 딸기 28개를 한 명에게 4개씩 주기

뺄셈식 $28-4-4-4-4-4-4-4=0$

7 번

나눗셈식 $28÷4=$ 7

빼는 수 ⬏   ⬑ 뺀 횟수

• 뺄셈식을 나눗셈식으로 나타내기

뺄셈식 $30-6-6-6-6-6=0$

0이 될 때까지 뺀 횟수: 5 번

나눗셈식 $30÷6=$ 5

빼는 수 ⬏   ⬑ 뺀 횟수

뺄셈식 $32-8-8-8-8=0$

0이 될 때까지 뺀 횟수: 4 번

나눗셈식 $32÷8=$ 4

빼는 수 ⬏   ⬑ 뺀 횟수

개념 확인 문제

2-1 우유 10개를 2개씩 묶으면 몇 묶음이 되는지 알아보세요.

(1) 우유를 2개씩 묶어 보고, 몇 묶음인지 구해 보세요.

(   )

(2) 우유 10개를 2개씩 묶으면 몇 묶음인지 나눗셈식으로 나타내어 보세요.

$$10 \div 2 = \boxed{}$$

2-2 마카롱 42개를 한 명에게 6개씩 주면 몇 명에게 나누어 줄 수 있는지 나눗셈식으로 나타내어 보세요.

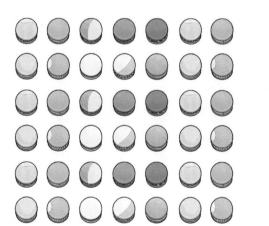

$$\boxed{} \div \boxed{} = \boxed{}$$

2-3 뺄셈식을 나눗셈식으로 나타내어 보세요.

(1) $21 - 7 - 7 - 7 = 0$

➡ $21 \div \boxed{} = \boxed{}$

(2) $30 - 5 - 5 - 5 - 5 - 5 - 5 = 0$

➡ $30 \div \boxed{} = \boxed{}$

개념 **3** 곱셈과 나눗셈의 관계

• 오렌지 30개를 똑같이 나누기

① 친구 5명이 똑같이 나눌 때

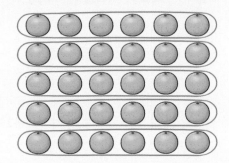

한 명이 6개씩 가질 수 있습니다.

곱셈식 $5 \times 6 = 30$

나눗셈식 $30 \div 5 = 6$

② 친구 6명이 똑같이 나눌 때

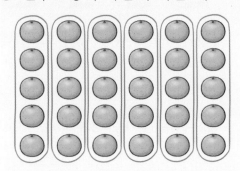

한 명이 5개씩 가질 수 있습니다.

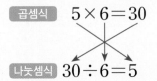

곱셈식 $5 \times 6 = 30$

나눗셈식 $30 \div 6 = 5$

개념 **4** 나눗셈의 몫을 곱셈식으로 구하기

• 포도 27송이를 9송이씩 묶었을 때 묶음 수 구하기

포도의 묶음 수를 나타내는 나눗셈식: $27 \div 9 = 3$ ── 포도 27송이를 9송이씩 묶으면 3묶음이 됩니다.

나눗셈의 몫을 구할 수 있는 곱셈식: $9 \times \boxed{3} = 27$ ── '몇 묶음'을 □로 나타냅니다.

➡ $9 \times 3 = 27$이므로 $27 \div 9$의 몫은 3입니다.

☆ 27÷9의 몫을 곱셈식으로 구하는 방법

> $27 \div 9 = \square$의 몫 $\square$는 $9 \times 3 = 27$을 이용해 구할 수 있습니다.
>
> $9 \times 3 = 27$
>
> $27 \div 9 = \square$ ➡ $27 \div 9$의 몫은 3입니다.

개념 확인 문제

3-1 그림을 보고 ☐ 안에 알맞은 수를 써넣으세요.

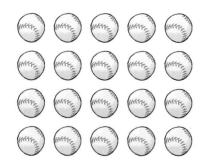

곱셈식 $5 \times 4 = 20$

나눗셈식 $20 \div 5 = \boxed{}$

$20 \div 4 = \boxed{}$

3-2 곱셈식을 나눗셈식으로 나타내어 보세요.

$$7 \times 8 = 56$$

$56 \div 7 = \boxed{}$

$56 \div \boxed{} = \boxed{}$

4-1 $54 \div 9$의 몫을 구할 수 있는 곱셈식을 찾아 ◯표 하세요.

$9 \times 5 = 45$ $9 \times 6 = 54$ $9 \times 7 = 63$ $9 \times 8 = 72$

4-2 꽃 21송이를 꽃병 7개에 똑같이 나누어 꽂으려고 합니다. 꽃병 한 개에 몇 송이씩 꽂아야 하는지 알아보세요.

나눗셈식 $21 \div \boxed{} = \boxed{}$

곱셈식 $7 \times \boxed{} = 21$

답 _____

 개념 **5** 나눗셈의 몫을 곱셈구구로 구하기

• 곱셈표를 이용하여 $28 \div 7$의 몫 구하기

곱셈표에서 가로나 세로의 7의 단 곱셈구구 중에서 한 곳을 골라 28과 만나는 수를 찾습니다.

×	1	2	3	③4	5	6	①7	8	9
1	1	2	3	4	5	6	7	8	9
2	2	4	6	8	10	12	14	16	18
3	3	6	9	12	15	18	21	24	27
③4	4	8	12	16	20	24	②28	32	36
5	5	10	15	20	25	30	35	40	45
6	6	12	18	24	30	36	42	48	54
①7	7	14	21	②28	35	42	49	56	63
8	8	16	24	32	40	48	56	64	72
9	9	18	27	36	45	54	63	72	81

① 곱셈표의 가로나 세로에서 나누는 수인 7의 단 곱셈구구를 찾습니다.

② 7의 단 곱셈구구에서 곱이 나누어지는 수인 28이 되는 곱셈식을 찾습니다.

　➡ $7 \times 4 = 28$

③ ②에서 찾은 곱셈식을 보고 나눗셈의 몫을 구합니다.

$$7 \times 4 = 28 \quad ➡ \quad 28 \div 7 = 4$$

★ **$36 \div 4$의 몫을 곱셈구구로 구하는 방법**

나누는 수의 단 곱셈구구 찾기 ➡ 4의 단 곱셈구구	4의 단 곱셈구구에서 곱이 36인 곱셈식 찾기 ➡ $4 \times 9 = 36$	찾은 곱셈식을 보고 나눗셈의 몫 구하기 $4 \times 9 = 36$ $36 \div 4 = 9$

개념 확인 문제

5-1 빵 18개를 한 봉지에 9개씩 담으려면 봉지가 몇 장 필요한지 알아보세요.

(1) 봉지가 몇 장 필요한지 나눗셈식으로 나타내어 보세요.

$$18 \div 9 = \boxed{}$$

(2) 나눗셈 $18 \div 9$의 몫을 곱셈구구로 구해 보세요.

9의 단 곱셈구구에서 $9 \times \boxed{} = 18$이므로 $18 \div 9$의 몫은 $\boxed{}$입니다.

5-2 $42 \div 6$의 몫을 곱셈구구로 구하려고 합니다. 물음에 답하세요.

(1) 6의 단 곱셈구구의 빈칸에 알맞은 수를 써넣으세요.

×	1	2	3	4	5	6	7	8	9
6									

(2) 위 (1)의 곱셈구구에서 곱이 42인 곱셈식을 찾아 $42 \div 6$의 몫을 구해 보세요.

( )

5-3 주어진 나눗셈의 몫을 구할 때 몇의 단 곱셈구구가 필요한지 써 보세요.

(1) $\quad 45 \div 5 \quad$

➡ $\boxed{}$의 단 곱셈구구

(2) $\quad 24 \div 3 \quad$

➡ $\boxed{}$의 단 곱셈구구

5-4 **12**쪽에 주어진 곱셈표를 보고 나눗셈의 몫을 구해 보세요.

(1) $12 \div 2$

(2) $63 \div 7$

(3) $36 \div 6$

(4) $32 \div 8$

준비물 붙임딱지

빵을 주어진 봉투에 똑같이 나누어 담으려고 합니다.
봉투에 빵 붙임딱지를 알맞게 붙이고 ☐ 안에 알맞은 수를 써넣으세요.

꽈배기 12개를 봉투 2개에
똑같이 나누어 담아 보세요.

☐ ÷ ☐ = ☐

→ 봉투 한 개에 ☐ 개씩 담을 수 있습니다.

도넛 30개를 봉투 6개에
똑같이 나누어 담아 보세요.

☐ ÷ ☐ = ☐

봉투 한 개에 ☐ 개씩 담을 수 있습니다.

머핀 21개를 봉투 3개에 똑같이 나누어 담아 보세요.

$\boxed{} \div \boxed{} = \boxed{}$

➡ 봉투 한 개에 $\boxed{}$개씩 담을 수 있습니다.

봉투 수를 자유롭게 정하여 문제를 풀어 보세요.

봉투 붙임딱지와 빵 붙임딱지를 붙이세요.

$\boxed{} \div \boxed{} = \boxed{}$

➡ 봉투 한 개에 $\boxed{}$개씩 담을 수 있습니다.

준비물 붙임딱지

나눗셈에 알맞은 조각 붙임딱지를 붙여서 드론 퍼즐을 완성해 보세요.

개념 1 **똑같이 나누기** (1)

01 도넛 16개를 접시 4개에 똑같이 나누어 담으려고 합니다. 접시 한 개에 도넛을 몇 개씩 담을 수 있는지 접시에 ○를 그려서 구해 보세요.

➡ 접시 한 개에 도넛을 ☐개씩 담을 수 있습니다.

02 나눗셈식으로 나타내어 보세요.

(1)   42 나누기 6은 7과 같습니다.   ➡ ☐ ÷ ☐ = ☐

(2)   72 나누기 9는 8과 같습니다.   ➡ ☐ ÷ ☐ = ☐

03 나눗셈식에서 몫을 찾아 쓰고, 나눗셈식을 읽어 보세요.

$$24 \div 4 = 6$$

몫 _____   읽기 _____

04 젤리 40개를 5명에게 똑같이 나누어 주려고 합니다. 한 명에게 젤리를 몇 개씩 줄 수 있는지 구해 보세요.

(   )

개념 2 **똑같이 나누기** (2)

05 삼각김밥 18개를 한 명에게 3개씩 주면 몇 명에게 나누어 줄 수 있는지 알아보려고 합니다. 물음에 답하세요.

(1) 18에서 3을 몇 번 빼면 0이 되는지 뺄셈식을 쓰고 답을 구해 보세요.

식 $18 - \boxed{} - \boxed{} - \boxed{} - \boxed{} - \boxed{} - \boxed{} = 0$

답 _____

(2) 나눗셈식으로 나타내어 보세요.

$\boxed{} \div \boxed{} = \boxed{}$

06 나눗셈식 $12 \div 3 = 4$를 뺄셈식으로 바르게 나타낸 것을 찾아 기호를 써 보세요.

> ㉠ $12 - 2 - 2 - 2 - 2 - 2 - 2 = 0$
> ㉡ $12 - 3 - 3 - 3 - 3 = 0$
> ㉢ $12 - 4 - 4 - 4 = 0$

( )

07 우유 21개를 한 상자에 7개씩 담으려면 필요한 상자는 몇 개인지 구해 보세요.

( )

개념 3 곱셈과 나눗셈의 관계

08 곱셈식을 나눗셈식으로 나타내려고 합니다. 오른쪽 그림을 보고 물음에 답하세요.

(1) 주스의 수를 곱셈식으로 나타내어 보세요.

$$5 \times \boxed{} = \boxed{}$$

(2) 위 (1)의 곱셈식을 나눗셈식으로 나타내어 보세요.

$$\boxed{} \div \boxed{} = \boxed{} \qquad \boxed{} \div \boxed{} = \boxed{}$$

09 그림을 보고 곱셈식과 나눗셈식으로 나타내어 보세요.

곱셈식 $\boxed{} \times \boxed{} = 27, \ \boxed{} \times \boxed{} = 27$

나눗셈식 $27 \div \boxed{} = \boxed{}, \ 27 \div \boxed{} = \boxed{}$

10 곱셈식을 나눗셈식으로 나타내어 보세요.

(1) $2 \times 7 = 14$

$$\boxed{} \div \boxed{} = \boxed{}$$
$$\boxed{} \div \boxed{} = \boxed{}$$

(2) $9 \times 4 = 36$

$$\boxed{} \div \boxed{} = \boxed{}$$
$$\boxed{} \div \boxed{} = \boxed{}$$

11 나눗셈식을 곱셈식으로 나타내어 보세요.

(1) $10 \div 5 = 2$

$$\boxed{} \times \boxed{} = \boxed{}$$
$$\boxed{} \times \boxed{} = \boxed{}$$

(2) $48 \div 6 = 8$

$$\boxed{} \times \boxed{} = \boxed{}$$
$$\boxed{} \times \boxed{} = \boxed{}$$

개념 4 나눗셈의 몫을 곱셈식으로 구하기

12 32÷4의 몫을 구하기 위해 필요한 곱셈식을 쓰고 몫을 구해 보세요.

$$4 \times \boxed{} = \boxed{} \quad \Rightarrow \quad 32 \div 4 = \boxed{}$$

13 관계있는 것끼리 선으로 이어 보세요.

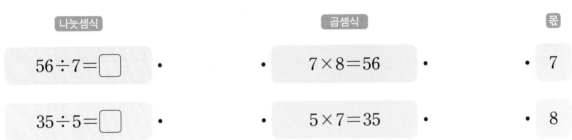

나눗셈식	곱셈식	몫
$56 \div 7 = \boxed{}$ ·	· $7 \times 8 = 56$ ·	· 7
$35 \div 5 = \boxed{}$ ·	· $5 \times 7 = 35$ ·	· 8

14 그림을 보고 나눗셈의 몫을 구해 보세요.

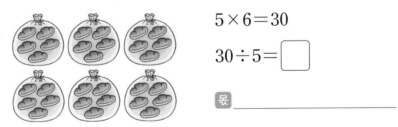

$$5 \times 6 = 30$$
$$30 \div 5 = \boxed{}$$

몫 _____

15 토마토 18개를 3상자에 똑같이 나누어 담으려고 합니다. 한 상자에 몇 개씩 담아야 하는지 구해 보세요.

나눗셈식 $18 \div \boxed{} = \boxed{}$

곱셈식 $\boxed{} \times 3 = 18$

답 _____

개념 5 나눗셈의 몫을 곱셈구구로 구하기

[16~18] 곱셈표를 이용하여 나눗셈의 몫을 구해 보세요.

×	1	2	3	4	5	6	7	8	9
1	1	2	3	4	5	6	7	8	9
2	2	4	6	8	10	12	14	16	18
3	3	6	9	12	15	18	21	24	27
4	4	8	12	16	20	24	28	32	36
5	5	10	15	20	25	30	35	40	45
6	6	12	18	24	30	36	42	48	54
7	7	14	21	28	35	42	49	56	63
8	8	16	24	32	40	48	56	64	72
9	9	18	27	36	45	54	63	72	81

16 사탕 42개를 한 명에게 6개씩 주려고 합니다. 몇 명에게 사탕을 나누어 줄 수 있는지 식을 쓰고 답을 구해 보세요.

식 $42 \div 6 = \boxed{}$　　　　답 _____

17 연필 81자루를 9명이 똑같이 나누어 가지려고 합니다. 한 명이 연필을 몇 자루씩 가질 수 있는지 식을 쓰고 답을 구해 보세요.

식 $81 \div 9 = \boxed{}$　　　　답 _____

18 20명이 택시를 타려고 합니다. 택시 한 대에 4명씩 타려면 필요한 택시는 몇 대인지 식을 쓰고 답을 구해 보세요.

식 $\boxed{} \div \boxed{} = \boxed{}$　　　　답 _____

개념 6 나눗셈의 몫 구하기

19 나눗셈의 몫을 구해 보세요.

(1) $6 \div 2$

(2) $24 \div 4$

(3) $40 \div 5$

(4) $35 \div 7$

20 빈칸에 알맞은 수를 써넣으세요.

(1)
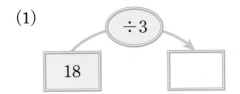

(2)
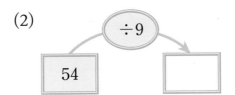

21 큰 수를 작은 수로 나눈 몫을 빈칸에 써넣으세요.

(1)
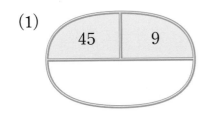

(2)
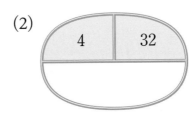

22 7로 나눈 몫을 구하여 빈칸에 써넣으세요.

÷7	21	28	42	49	63

23 빈칸에 알맞은 수를 써넣으세요.

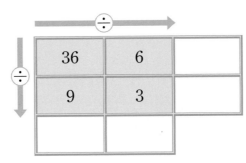

★ **나눗셈의 활용**

1 바나나 32개를 4명이 똑같이 나누어 가지려고 합니다. 한 명이 바나나를 몇 개씩 가질 수 있는지 나눗셈식을 쓰고 답을 구해 보세요.

식 _____

답 _____

> **개념 피드백**
>
> • 나눗셈식 알아보기
>
> ▲ ÷ ■ = ● ➡ 읽기 ▲ 나누기 ■는 ●와 같습니다.
>
> ▲ : 나누어지는 수, ■ : 나누는 수, ● : 몫

1-1 망고 36개를 9명이 똑같이 나누어 가지려고 합니다. 한 명이 망고를 몇 개씩 가질 수 있는지 나눗셈식을 쓰고 답을 구해 보세요.

식 _____

답 _____

1-2 56쪽짜리 책을 하루에 7쪽씩 매일 읽으려고 합니다. 이 책을 모두 읽으려면 며칠이 걸리는지 나눗셈식을 쓰고 답을 구해 보세요.

식 _____

답 _____

1
주

교과서

★ 나눗셈의 몫 비교하기

2 나눗셈의 몫의 크기를 비교하여 ◯ 안에 >, =, <를 알맞게 써넣으세요.

$$12 \div 2 \quad \bigcirc \quad 30 \div 5$$

 개념
피드백

- 12÷2의 몫을 곱셈식으로 구하기

$$2 \times 6 = 12$$

$$12 \div 2 = \square$$

- 12÷2의 몫을 곱셈구구로 구하기

2의 단 곱셈구구에서 곱이 12가 되는 곱셈식을 찾습니다.

$$2 \times \square = 12 \rightarrow 12 \div 2 = \square$$

2-1 나눗셈의 몫의 크기를 비교하여 ◯ 안에 >, =, <를 알맞게 써넣으세요.

$$21 \div 3 \quad \bigcirc \quad 64 \div 8$$

2-2 몫이 큰 것부터 차례로 기호를 써 보세요.

| ㉠ $72 \div 9$ | ㉡ $45 \div 5$ |
| ㉢ $36 \div 6$ | ㉣ $28 \div 4$ |

(   )

⭐ **수의 크기를 비교하여 나눗셈하기**

3 가장 큰 수를 가장 작은 수로 나눈 몫을 구해 보세요.

72　　8　　9　　64

답 _____

개념 피드백 ① 주어진 수의 크기를 비교하여 가장 큰 수와 가장 작은 수를 알아봅니다.
② (가장 큰 수)÷(가장 작은 수)를 계산합니다.

3-1 가장 큰 수를 가장 작은 수로 나눈 몫을 구해 보세요.

56　　8　　7　　45

(　　　　　　　　)

3-2 두 번째로 큰 수를 가장 작은 수로 나눈 몫을 구해 보세요.

32　　7　　28　　4

(　　　　　　　　)

★ 수 카드로 나눗셈식 만들기

4 수 카드 4장 중에서 2장을 골라 모두 한 번씩만 사용하여 다음과 같은 나눗셈을 만들었습니다. 이때 몫이 가장 큰 한 자리 수인 나눗셈의 계산 결과를 구해 보세요.

답 _____

개념 피드백 ① 주어진 수 카드로 만들 수 있는 두 자리 수를 알아봅니다.
② 알맞은 나눗셈을 만들어 몫을 알아보고, 그 몫의 크기를 비교해 봅니다.

4-1 수 카드 4장 중에서 2장을 골라 모두 한 번씩만 사용하여 다음과 같은 나눗셈을 만들었습니다. 이때 몫이 가장 큰 한 자리 수인 나눗셈의 계산 결과를 구해 보세요.

(   )

4-2 수 카드 4장 중에서 2장을 골라 모두 한 번씩만 사용하여 다음과 같은 나눗셈을 만들었습니다. 이때 몫이 가장 작은 한 자리 수인 나눗셈의 계산 결과를 구해 보세요.

(   )

★ **어떤 수 구하기**

5 어떤 수를 3으로 나누었더니 몫이 8이 되었습니다. 어떤 수를 구해 보세요.

답 _____

> **개념 피드백**
> • 나눗셈식에서 어떤 수를 구하는 순서
> ① 어떤 수를 □라 하고 나눗셈식을 세웁니다.
> ② 곱셈과 나눗셈의 관계를 이용하여 어떤 수를 구합니다.

5-1 어떤 수를 6으로 나누었더니 몫이 9가 되었습니다. 어떤 수를 구해 보세요.

(   )

5-2 14를 어떤 수로 나누었더니 몫이 2가 되었습니다. 어떤 수를 구해 보세요.

(   )

5-3 □ 안에 알맞은 수를 써넣으세요.

(1) □ ÷ 4 = 5   (2) 72 ÷ □ = 8

★ **도형에서 나눗셈의 활용**

6 길이가 24 cm인 철사를 겹치지 않게 사용하여 세 변의 길이가 모두 같은 삼각형을 1개 만들었습니다. 만든 삼각형 중 가장 큰 삼각형의 한 변의 길이는 몇 cm인지 구해 보세요.

답 _____

개념
피드백
• 평면도형의 변의 수
삼각형: 3개, 사각형: 4개, 오각형: 5개, 육각형: 6개

6-1 길이가 32 cm인 철사를 겹치지 않게 사용하여 정사각형을 1개 만들었습니다. 만든 정사각형 중 가장 큰 정사각형의 한 변의 길이는 몇 cm인지 구해 보세요.

(   )

6-2 그림과 같은 종이를 잘라 한 변의 길이가 3 cm인 정사각형을 몇 개까지 만들 수 있는지 구해 보세요.

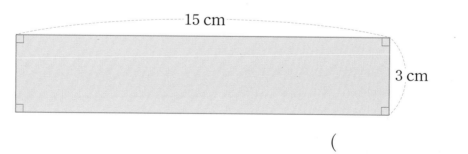

15 cm

3 cm

(   )

1 진우는 과수원에서 귤을 54개 땄습니다. 그중에서 9개를 형에게 주고, 남은 귤을 한 봉지에 9개씩 담으려면 봉지는 몇 장 필요한지 구해 보세요.

✏️ 구하려는 것, 주어진 것에 선을 그어 봅니다.

해결하기 (형에게 주고 남은 귤의 수)=(처음 귤의 수)−(형에게 준 귤의 수)

$$= \boxed{} - \boxed{} = \boxed{} \text{(개)}$$

➡️ (필요한 봉지 수)=(형에게 주고 남은 귤의 수)÷(한 봉지에 담는 귤의 수)

$$= \boxed{} ÷ \boxed{} = \boxed{} \text{(장)}$$

답 구하기 [   ]

2 혜미는 초콜릿을 30개 가지고 있습니다. 그중에서 2개를 동생에게 주고, 남은 초콜릿을 한 봉지에 4개씩 담으려면 봉지는 몇 장 필요한지 구해 보세요.

✏️ 구하려는 것, 주어진 것에 선을 그어 봅니다.

해결하기

답 구하기

3 멜론이 한 줄에 8통씩 3줄로 놓여 있습니다. 이 멜론을 한 명에게 4통씩 주면 몇 명에게 나누어 줄 수 있는지 구해 보세요.

✎ 구하려는 것, 주어진 것에 선을 그어 봅니다.

해결하기 멜론이 한 줄에 8통씩 3줄이므로 모두 8×3=☐ (통)입니다.

이 멜론을 한 명에게 4통씩 주면 ☐÷4=☐ (명)에게 나누어 줄 수 있습니다.

답 구하기 ☐

1 주 교과서

4 강당에 학생들이 한 줄에 6명씩 6줄로 서 있습니다. 이 학생들을 한 줄에 4명씩 다시 세우면 몇 줄이 되는지 구해 보세요.

✎ 구하려는 것, 주어진 것에 선을 그어 봅니다.

해결하기

답 구하기

준비물 붙임딱지

간식과 주스 재료를 종류별로 똑같이 나누어 담으려고 합니다.
주어진 봉지와 컵에 붙임딱지를 알맞게 붙여서 알아보세요.

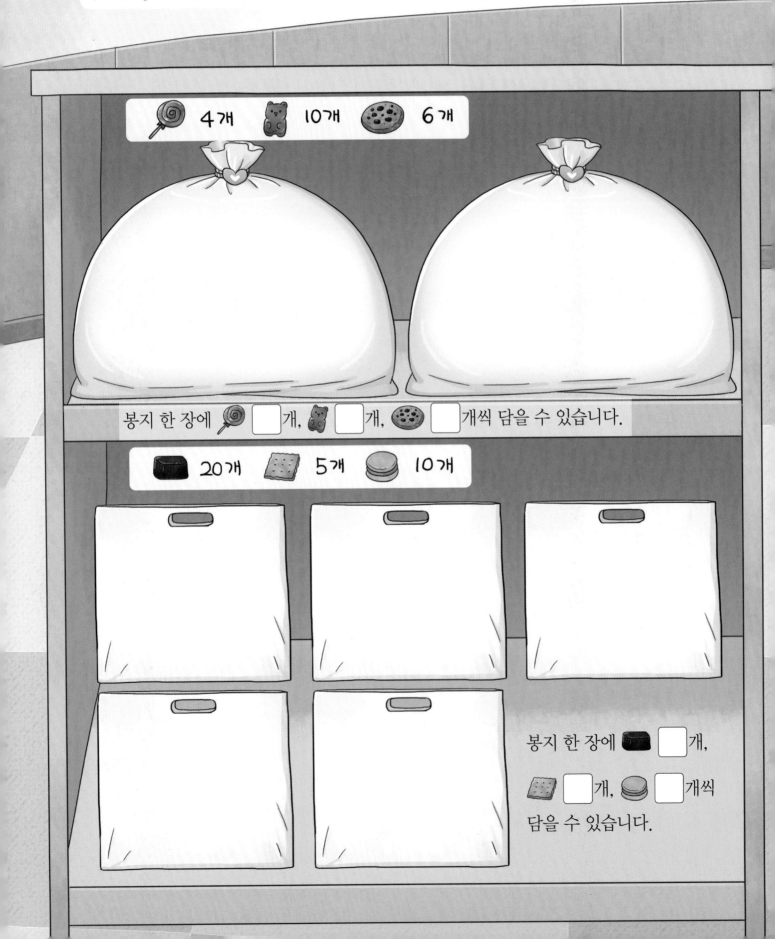

4개   10개   6개

봉지 한 장에 ⬚개, ⬚개, ⬚개씩 담을 수 있습니다.

20개   5개   10개

봉지 한 장에 ⬚개,
⬚개, ⬚개씩
담을 수 있습니다.

준비물 붙임딱지

🍅 12개　🍈 8조각　🫐 16개

컵 한 개에 🍅 ☐개, 🍈 ☐조각, 🫐 ☐개씩 담을 수 있습니다.

🍊 3개　🍓 12개　🫐 15개　🍊 6조각

컵 한 개에 🍊 ☐개, 🍓 ☐개, 🫐 ☐개, 🍊 ☐조각씩 담을 수 있습니다.

준비물 ◀ 붙임딱지

공장에서 만든 제품을 상자의 각 칸에 똑같이 나누어 담아 포장하려고 합니다. 남김없이 담을 수 있는 상자 붙임딱지를 찾아 붙이고, □ 안에 알맞은 수를 써넣으세요. (단, 상자의 각 칸에는 제품을 9개까지만 담을 수 있고 각 상자의 칸수는 2개부터 7개까지 있습니다.)

몇 칸짜리 상자에 담아야 할까요?

➡ 상자 한 칸에 5개씩 담을 수 있습니다.

➡ 상자 한 칸에 □개씩 담을 수 있습니다.

담을 수 있는 상자가 2가지 있어요.

➡ 상자 한 칸에 □개씩 담을 수 있습니다.

➡ 상자 한 칸에 □개씩 담을 수 있습니다.

➡ 상자 한 칸에 □개씩 담을 수 있습니다.

상자 한 칸에 ☐개씩
담을 수 있습니다.

상자 한 칸에 ☐개씩
담을 수 있습니다.

상자 한 칸에 ☐개씩
담을 수 있습니다.

상자 한 칸에 ☐개씩
담을 수 있습니다.

상자 한 칸에 ☐개씩
담을 수 있습니다.

상자 한 칸에 ☐개씩
담을 수 있습니다.

준비물 붙임딱지

1 길이가 20 m인 도로의 한쪽에 처음부터 끝까지 4 m 간격으로 나무를 심으려고 합니다. 필요한 나무는 모두 몇 그루인지 구해 보세요. (단, 나무의 굵기는 생각하지 않습니다.)

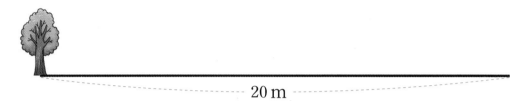

① 도로의 처음에 나무를 1그루 심고 4 m 간격으로 점을 찍었습니다. 나무를 더 심어야 할 곳에 나무 붙임딱지를 붙여 보세요.

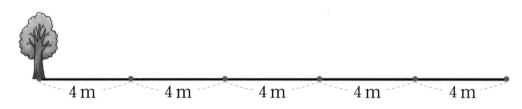

② 위의 ①에서 나무 붙임딱지를 몇 개 붙였는지 써 보세요.

( )

③ 필요한 나무는 모두 몇 그루인지 구해 보세요.

( )

2 오징어 1축은 오징어 20마리이고, 굴비 1두름은 굴비 20마리입니다. 오징어 2축을 사서 한 봉지에 8마리씩 담고, 굴비 2두름을 사서 한 봉지에 5마리씩 각각 담으려면 필요한 봉지는 모두 몇 장인지 구해 보세요.

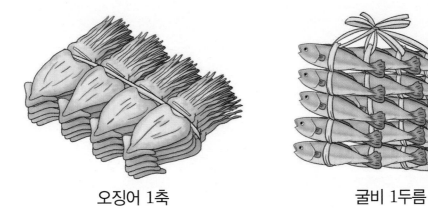

오징어 1축   굴비 1두름

① 오징어 2축을 한 봉지에 8마리씩 담으려면 필요한 봉지는 몇 장일까요?

(   )

② 굴비 2두름을 한 봉지에 5마리씩 담으려면 필요한 봉지는 몇 장일까요?

(   )

③ 오징어와 굴비를 담는 데 필요한 봉지는 모두 몇 장인지 구해 보세요.

(   )

2 주
사고력

준비물 붙임딱지

3 어느 목장에 있는 양과 염소의 다리를 세어 보니 모두 36개였습니다. 양이 염소보다 1마리 더 많을 때 양과 염소는 각각 몇 마리인지 구해 보세요. (단, 양과 염소 한 마리의 다리는 각각 4개씩입니다.)

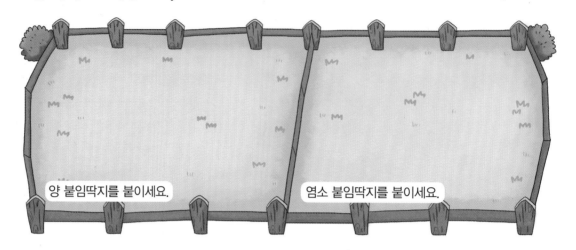

양 붙임딱지를 붙이세요.   염소 붙임딱지를 붙이세요.

① 양과 염소는 모두 몇 마리일까요?

(   )

② 양이 염소보다 1마리 더 많을 때 양과 염소는 각각 몇 마리인지 구해 보세요.

양 (   ), 염소 (   )

③ 울타리 안에 양과 염소 붙임딱지를 붙여 보세요.

4 가은이와 영진이가 사탕 21개를 나누어 가지려고 합니다. 가은이가 영진이보다 사탕 3개를 더 많이 가지려면 영진이는 사탕을 몇 개 가지면 되는지 구해 보세요.

1 □ 안에 알맞은 수를 써넣으세요.

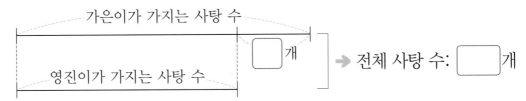

가은이가 가지는 사탕 수

영진이가 가지는 사탕 수 □ 개 ➡ 전체 사탕 수: □ 개

2 전체 사탕 수에서 3개를 빼면 남은 사탕 수는 영진이가 가지는 사탕 수의 몇 배가 될까요? (위 **1**의 그림을 보고 답하세요.)

( )

3 영진이가 가지는 사탕은 몇 개인지 구해 보세요.

( )

1 위에 있는 수에서 선을 따라 아래로 내려가다 가로 선을 만나면 가로 선을 따라가는 방법으로 사다리타기를 합니다. 선을 따라가면서 만나는 나눗셈을 하여 빈칸에 마지막 계산 결과를 써넣으세요.

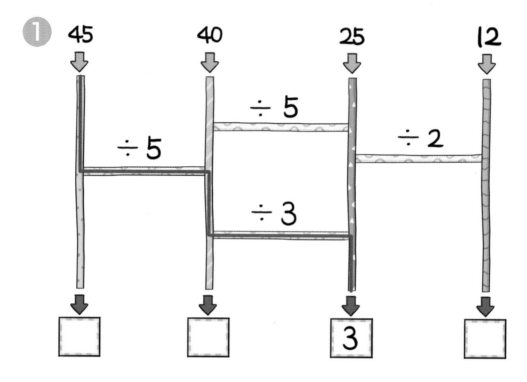

❶ 45　40　25　12

÷ 5　÷ 5　÷ 2　÷ 3

□　□　3　□

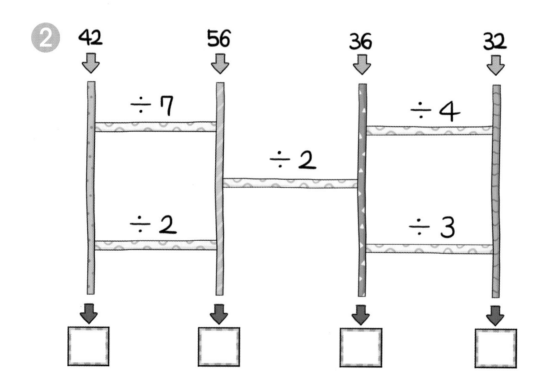

❷ 42　56　36　32

÷ 7　÷ 2　÷ 4

÷ 2　÷ 3

□　□　□　□

✂ 정답과 풀이 p.10

2 보기 를 보고 규칙을 찾아 빈 곳에 알맞은 수를 써넣으세요.

보기

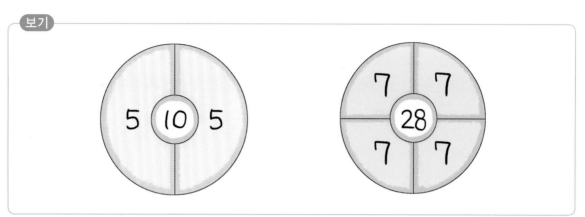

❶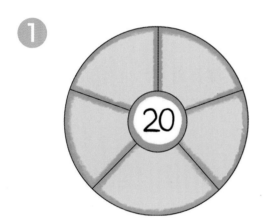

❷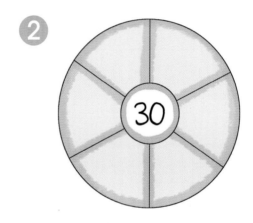

❸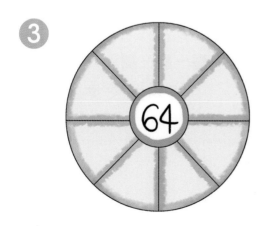

❹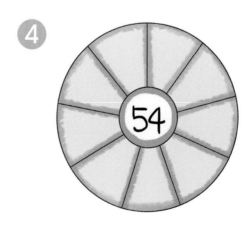

3 같은 모양은 각각 같은 수를 나타냅니다. 주어진 식을 보고 ♥, ★, ♣가 나타내는 수를 각각 구해 보세요.

❶

$$54 - ▲ - ▲ - ▲ - ▲ - ▲ - ▲ = 0$$
$$▲ \div 3 = ♥$$

♥ = (   )

❷
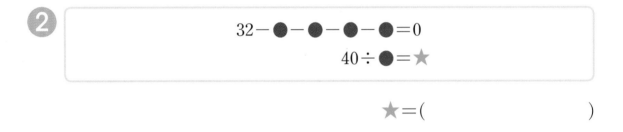

$$32 - ● - ● - ● - ● = 0$$
$$40 \div ● = ★$$

★ = (   )

❸

$$42 - ■ - ■ - ■ - ■ - ■ - ■ - ■ = 0$$
$$■ \div 3 = ♣$$

♣ = (   )

4 일정한 규칙으로 모양을 늘어놓았습니다. 28번째에 놓일 모양을 구해 보세요.

1 되풀이되는 모양을 모두 묶어 보세요.

2 28번째에 놓일 모양은 (■ , ▲ , ●)입니다.

5 일정한 규칙으로 모양을 늘어놓았습니다. 24번째에 놓일 모양을 구해 보세요.

(   )

6 일정한 규칙으로 숫자를 늘어놓았습니다. 40번째에 놓일 숫자를 구해 보세요.

1 2 3 4 5 1 2 3 4 5 1 2 3 4 5 ……

(   )

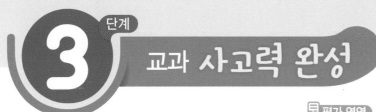
> 📋 **평가 영역** ☑개념 이해력 ☐개념 응용력 ☐창의력 ☐문제 해결력

1 만두 16개를 똑같이 나누어 먹으려고 합니다. 사람 수에 따라 먹을 수 있는 만두의 수를 구해 보세요.

2명이 먹을 때: 한 명이 ☐개씩 먹을 수 있습니다.

4명이 먹을 때: 한 명이 ☐개씩 먹을 수 있습니다.

8명이 먹을 때: 한 명이 ☐개씩 먹을 수 있습니다.

> 📋 **평가 영역** ☐개념 이해력 ☑개념 응용력 ☐창의력 ☐문제 해결력

2 남김없이 똑같이 나누어 가질 수 있는 경우를 말한 친구는 누구일까요?

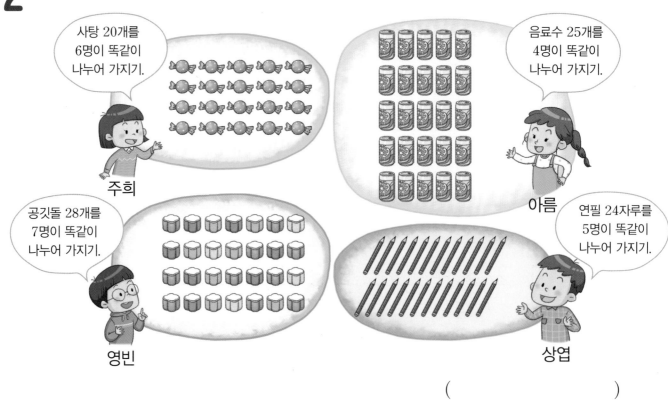

(   )

☰평가 영역 ☐개념 이해력 ☐개념 응용력 ☐창의력 ☑문제 해결력

3 다음 직사각형 모양의 종이에 한 변의 길이가 5 cm인 정사각형을 겹치지 않게 빈틈 없이 그리면 몇 개까지 그릴 수 있는지 구해 보세요.

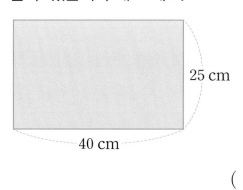

25 cm

40 cm

(   )

☰평가 영역 ☐개념 이해력 ☐개념 응용력 ☑창의력 ☐문제 해결력

4 토끼 4마리가 하루에 당근 8개를 먹습니다. 모든 토끼가 매일 똑같은 수의 당근을 먹는다면 토끼 6마리가 당근 36개를 먹는 데 며칠이 걸리는지 구해 보세요.

(   )

1 꽃 20송이를 꽃병 4개에 똑같이 나누어 꽂으려고 합니다. 꽃병 한 개에 꽃을 몇 송이 씩 꽂을 수 있는지 구해 보세요.

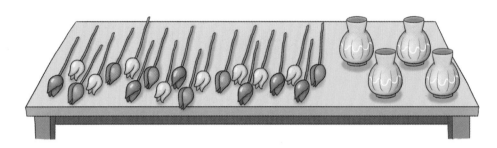

꽃병 한 개에 꽃을 ☐송이씩 꽂을 수 있습니다.

2 뺄셈식을 나눗셈식으로 나타내어 보세요.

(1) $12-4-4-4=0$ ➡ ☐ ÷ ☐ = ☐

(2) $42-7-7-7-7-7-7=0$ ➡ ☐ ÷ ☐ = ☐

3 다음 나눗셈식을 보고 설명한 것 중 옳지 <u>않은</u> 것을 찾아 기호를 써 보세요.

$$40 \div 8 = 5$$

㉠ 나누어지는 수는 40이고 나누는 수는 8입니다.

㉡ 몫은 5입니다.

㉢ 40을 8씩 묶으면 5묶음이 됩니다.

㉣ $40-8-8-8-8-8=5$로 나타낼 수 있습니다.

(   )

4 63÷9의 몫을 구할 때 필요한 곱셈구구는 어느 것인지 찾아 기호를 써 보세요.

> ㉠ 3의 단 곱셈구구 ㉡ 6의 단 곱셈구구
> ㉢ 8의 단 곱셈구구 ㉣ 9의 단 곱셈구구

(   )

2 주 평가

5 관계있는 것끼리 선으로 이어 보세요.

나눗셈식	곱셈식	몫
$40÷5=\square$ ·	· $8×3=24$ ·	· 5
$24÷8=\square$ ·	· $5×8=40$ ·	· 8
$15÷3=\square$ ·	· $3×5=15$ ·	· 3

6 그림에 알맞은 곱셈식과 나눗셈식을 만들어 보세요.

곱셈식 $\square×\square=\square$, $\square×\square=\square$

나눗셈식 $\square÷\square=\square$, $\square÷\square=\square$

7 빈칸에 알맞은 수를 써넣으세요.

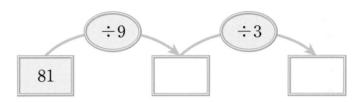

8 가장 큰 수를 가장 작은 수로 나눈 몫을 구해 보세요.

| 27 | 3 | 9 |

(   )

9 몫의 크기를 비교하여 ○ 안에 >, =, <를 알맞게 써넣으세요.

(1) $16 \div 2$ ○ $28 \div 4$

(2) $24 \div 6$ ○ $40 \div 8$

10 곱셈식을 나눗셈식으로, 나눗셈식을 곱셈식으로 나타내어 보세요.

(1) $6 \times 7 = 42$ (2) $54 \div 9 = 6$

    → $\Box \div \Box = \Box$ → $\Box \times \Box = \Box$

        $\Box \div \Box = \Box$ $\Box \times \Box = \Box$

11 사탕 28개를 한 명에게 4개씩 주려고 합니다. 몇 명에게 나누어 줄 수 있는지 두 가지 방법으로 해결해 보세요.

2
주

평가

뺄셈으로 해결하기

식 _____

나눗셈으로 해결하기

식 _____

답 _____

12 같은 모양은 같은 수를 나타냅니다. 주어진 식을 보고 ♥에 알맞은 수를 구해 보세요.

$$35 - ★ - ★ - ★ - ★ - ★ = 0$$
$$42 ÷ ★ = ♥$$

♥ = (   )

13 영훈이는 동화책 54쪽을 9일 동안 매일 똑같이 나누어 읽었습니다. 하루에 몇 쪽씩 읽었는지 나눗셈식을 쓰고 답을 구해 보세요.

식 _____

답 _____

14 정사각형 모양 꽃밭의 네 변의 길이의 합은 28 m입니다. 꽃밭의 한 변의 길이는 몇 m인지 구해 보세요.

(   )

15 길이가 63 m인 도로의 한쪽에 처음부터 끝까지 9 m 간격으로 가로등을 세우려고 합니다. 필요한 가로등은 모두 몇 개인지 구해 보세요. (단, 가로등의 굵기는 생각하지 않습니다.)

(   )

16 어느 과수원에서 오전에 딴 사과 24개와 오후에 딴 사과 32개를 상자에 똑같이 나누어 담아서 모두 포장하였더니 8상자였습니다. 한 상자에 사과를 몇 개씩 담았는지 구해 보세요.

(   )

17 어떤 수를 6으로 나누었더니 몫이 4였습니다. 어떤 수를 8로 나눈 몫은 얼마인지 구해 보세요.

(   )

1 몫이 같은 나눗셈이 있는 방을 선으로 이어 보면서 미로를 탈출해 보세요.

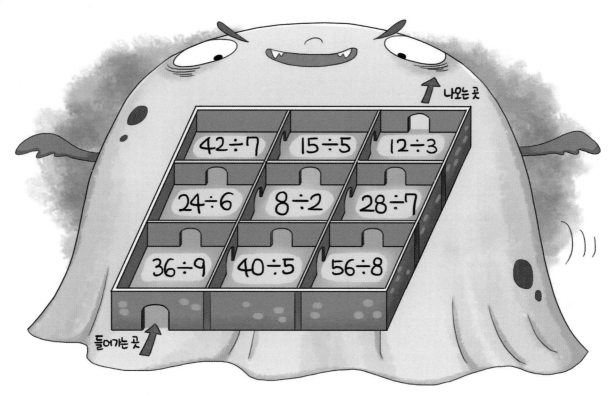

 **곱셈**

단원과 관련된
실생활 이야기를
살펴보아요.

자동차의 수를 알아보아요

마트 주차장에 자동차들이 주차되어 있습니다. 주차장에 있는 자동차의 수는 모두 몇 대인지 이야기해 볼까요?

➡️ 자동차는 한 줄에 ☐ 대씩 ☐ 줄이 있습니다.

☐ + ☐ + ☐ + ☐ = ☐

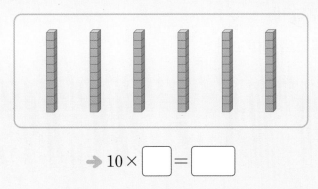

왼쪽 자동차의 수만큼 수 모형에 ○표 하고, ☐ 안에 알맞은 수를 써넣으세요.

→ $10 \times \boxed{} = \boxed{}$

곰 인형이 전시되어 있습니다. 곰 인형은 모두 몇 개인지 구해 보세요.

→ 곰 인형이 12개씩 5줄로 전시되어 있습니다.

덧셈식 $\boxed{} + \boxed{} + \boxed{} + \boxed{} + \boxed{} = \boxed{}$

곱셈식 $\boxed{} \times \boxed{} = \boxed{}$

덧셈식이 이렇게 길어질 때는 계산 시간이 길어집니다. 그럼 이와 같이 덧셈식을 간단하게 할 수 있는 곱셈식에 대해 알아볼까요?

개념 **1** (몇십)×(몇) 구하기

• 20×3을 수 모형으로 알아보기

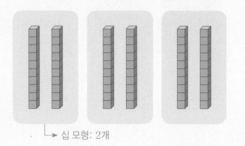 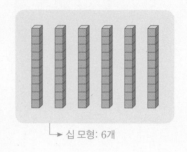

↳ 십 모형: 2개   ↳ 십 모형: 6개

$$20+20+20=60$$

십 모형의 수: $2\times3=6$

➡ $20\times3=60$

> 십 모형의 수인 6은 십의 자리 수가 되고 일 모형이 없으므로 일의 자리 수는 0이 됩니다.

• 20×3의 계산 방법 알아보기

(몇십)×(몇)은 (몇)×(몇)의 계산 결과 뒤에 0을 1개 붙입니다.

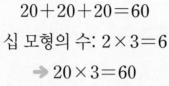

20×3은 2×3의 계산 결과에 0을 붙이면 됩니다.

$2\times3=6$이고 계산 결과 6에 0을 붙이면

$20\times3=60$입니다.

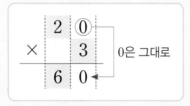

0은 그대로 내려서 쓰고

$2\times3=6$이므로 0 앞에 6을 씁니다.

✿ (몇십)×(몇)의 계산 방법

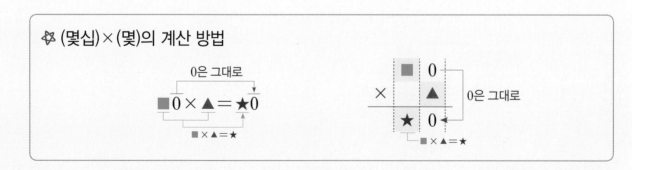

개념 확인 문제

1-1 그림을 보고 ☐ 안에 알맞은 수를 써넣으세요.

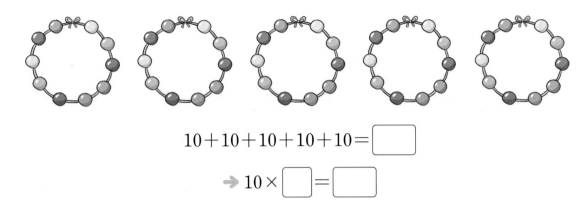

$$10+10+10+10+10=\boxed{}$$

➜ $10\times\boxed{}=\boxed{}$

1-2 ☐ 안에 알맞은 수를 써넣으세요.

(1) $20\times4=\boxed{}\boxed{0}$

$2\times4=\boxed{}$

(2) $10\times7=\boxed{}\boxed{0}$

$1\times7=\boxed{}$

1-3 계산해 보세요.

(1)
$$\begin{array}{r} 3\ 0 \\ \times\quad 3 \\ \hline \end{array}$$

(2)
$$\begin{array}{r} 1\ 0 \\ \times\quad 9 \\ \hline \end{array}$$

(3)
$$\begin{array}{r} 3\ 0 \\ \times\quad 2 \\ \hline \end{array}$$

1-4 빈 곳에 알맞은 수를 써넣으세요.

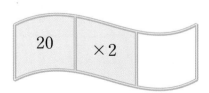

| 20 | ×2 | |

개념 2 올림이 없는 (몇십몇)×(몇) 구하기

- 12×3을 수 모형으로 알아보기

일 모형의 수: 2×3=6
십 모형의 수: 1×3=3

➡ 12×3=36

- 12×3의 계산 방법 알아보기

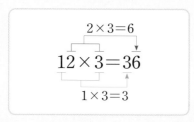

2×3의 계산 결과인 6을 일의 자리에 쓰고,
1×3의 계산 결과인 3을 십의 자리에 씁니다.

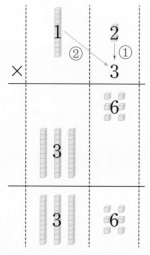

계산 방법

① 2와 3의 곱 6을 일의 자리에 씁니다.
② 1과 3의 곱 3을 십의 자리에 씁니다.

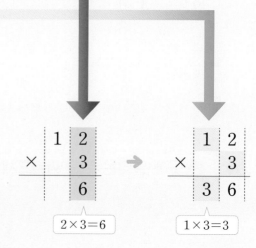

일의 자리를 계산한 값 6과 십의 자리를
계산한 값 30을 더하면 36입니다.

➡ 12×3=36

개념 확인 문제

2-1 ☐ 안에 알맞은 수를 써넣으세요.

(1)
44×2
$\begin{cases} 40 \times 2 = \boxed{} \\ 4 \times 2 = \boxed{} \end{cases} \boxed{}$

(2)
31×3
$\begin{cases} 30 \times 3 = \boxed{} \\ 1 \times 3 = \boxed{} \end{cases} \boxed{}$

2-2 ☐ 안에 알맞은 수를 써넣으세요.

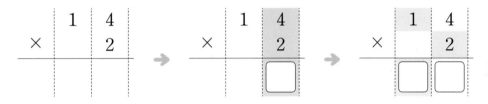

2-3 ☐ 안에 알맞은 수를 써넣으세요.

(1)
```
    2 3
 ×    2
 ───────
  □  … □ ×2
  □  … □ ×2
 ───────
  □
```

(2)
```
    1 3
 ×    3
 ───────
  □  … □ ×3
  □  … □ ×3
 ───────
  □
```

2-4 계산해 보세요.

(1)
```
   4 2
 ×   2
 ─────
```

(2)
```
   1 2
 ×   4
 ─────
```

(3)
```
   3 4
 ×   2
 ─────
```

개념 3 십의 자리에서 올림이 있는 (몇십몇) × (몇) 구하기

- 64 × 2를 수 모형으로 알아보기

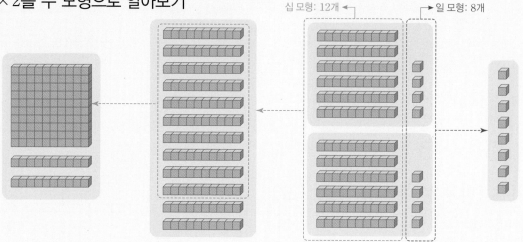

일 모형의 수는 4 × 2 = 8이고, 십 모형의 수는 6 × 2 = 12입니다. ➡ 64 × 2 = 128

- 64 × 2의 계산 방법 알아보기

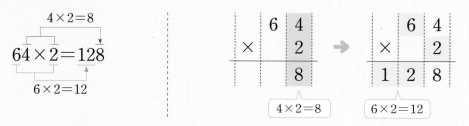

개념 4 일의 자리에서 올림이 있는 (몇십몇) × (몇) 구하기

- 15 × 3을 수 모형으로 알아보기

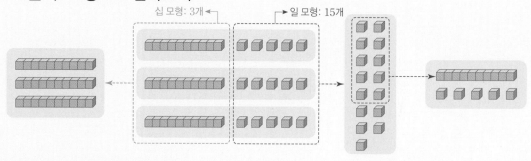

일 모형의 수는 5 × 3 = 15이고, 십 모형의 수는 1 × 3 = 3입니다. ➡ 15 × 3 = 45

- 15 × 3의 계산 방법 알아보기

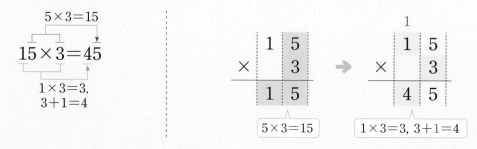

개념 확인 문제

3-1 ☐ 안에 알맞은 수를 써넣으세요.

(1)
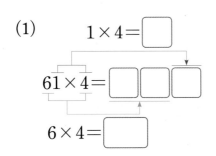
$$1 \times 4 = \boxed{}$$
$$61 \times 4 = \boxed{}\ \boxed{}\ \boxed{}$$
$$6 \times 4 = \boxed{}$$

(2)
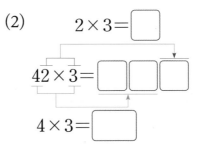
$$2 \times 3 = \boxed{}$$
$$42 \times 3 = \boxed{}\ \boxed{}\ \boxed{}$$
$$4 \times 3 = \boxed{}$$

3-2 계산해 보세요.

(1)
```
    4 3
  ×   3
```

(2)
```
    2 1
  ×   7
```

(3)
```
    5 3
  ×   2
```

4-1 ☐ 안에 알맞은 수를 써넣으세요.

(1)
```
      4 6
    ×   2
    ┌─────┐
    │     │ … ☐ × 2
    ├─────┤
    │     │ … 40 × 2
    ├─────┤
    │     │
    └─────┘
```

(2)
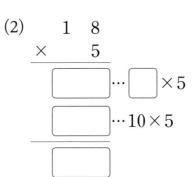
```
      1 8
    ×   5
    ┌─────┐
    │     │ … ☐ × 5
    ├─────┤
    │     │ … 10 × 5
    ├─────┤
    │     │
    └─────┘
```

4-2 ☐ 안에 알맞은 수를 써넣으세요.

(1)
```
        ☐
      2 4
    ×   3
    ┌─────┐
    │     │
    └─────┘
```

(2)
```
        ☐
      1 7
    ×   4
    ┌─────┐
    │     │
    └─────┘
```

(3)
```
        ☐
      2 5
    ×   2
    ┌─────┐
    │     │
    └─────┘
```

개념 **5** 십의 자리와 일의 자리에서 올림이 있는 (몇십몇) × (몇) 구하기

• 47 × 3을 수 모형으로 알아보기

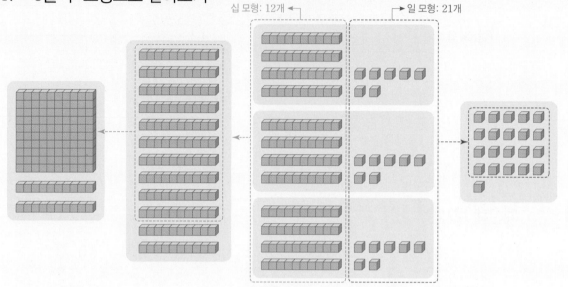

십 모형: 12개 ◀──   ──▶ 일 모형: 21개

일 모형의 수는 7 × 3 = 21이고, 십 모형의 수는 4 × 3 = 12입니다.

➡ 47 × 3 = 141

• 47 × 3의 계산 방법 알아보기

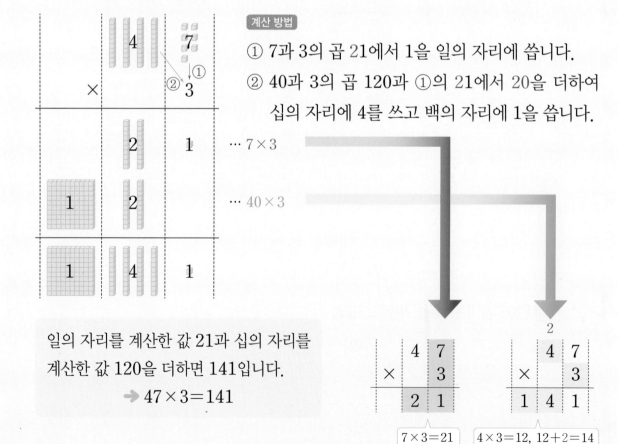

계산 방법

① 7과 3의 곱 21에서 1을 일의 자리에 씁니다.

② 40과 3의 곱 120과 ①의 21에서 20을 더하여
십의 자리에 4를 쓰고 백의 자리에 1을 씁니다.

일의 자리를 계산한 값 21과 십의 자리를
계산한 값 120을 더하면 141입니다.

➡ 47 × 3 = 141

7 × 3 = 21   4 × 3 = 12, 12 + 2 = 14

개념 확인 문제

5-1 ☐ 안에 알맞은 수를 써넣으세요.

(1)
```
     ☐              ☐
   4  4           4  4
×     3    →    ×     3
  ┌─┐        ┌──────┐
  └─┘        └──────┘
```

(2)
```
     ☐              ☐
   5  3           5  3
×     4    →    ×     4
  ┌─┐        ┌──────┐
  └─┘        └──────┘
```

5-2 ☐ 안에 알맞은 수를 써넣으세요.

(1)
```
   6  7
×     4
  ┌──────┐  … ☐ ×4
  └──────┘
  ┌──────┐  … ☐ ×4
  └──────┘
  ┌──────┐
  └──────┘
```

(2)
```
   3  6
×     5
  ┌──────┐  … ☐ ×5
  └──────┘
  ┌──────┐  … ☐ ×5
  └──────┘
  ┌──────┐
  └──────┘
```

5-3 계산해 보세요.

(1)
```
   5  8
×     4
```

(2)
```
   4  4
×     7
```

(3)
```
   1  5
×     8
```

5-4 빈 곳에 두 수의 곱을 써넣으세요.

(1)
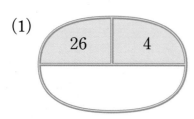

(2)
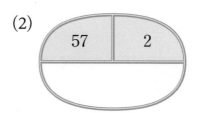

교과서 개념 스토리 　제품 진열하기

준비물 붙임딱지

알맞은 수의 제품을 찾아 진열하려고 합니다. 알맞은 붙임딱지를 찾아 붙여 보세요.

20개씩
3 묶음

12×4

31 × 2

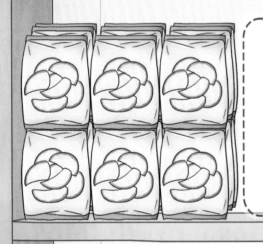

40개씩
2 묶음

30개씩
3 묶음

14×2

33 × 3

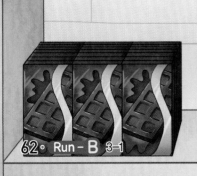

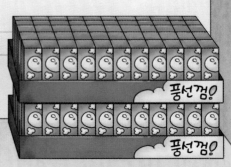

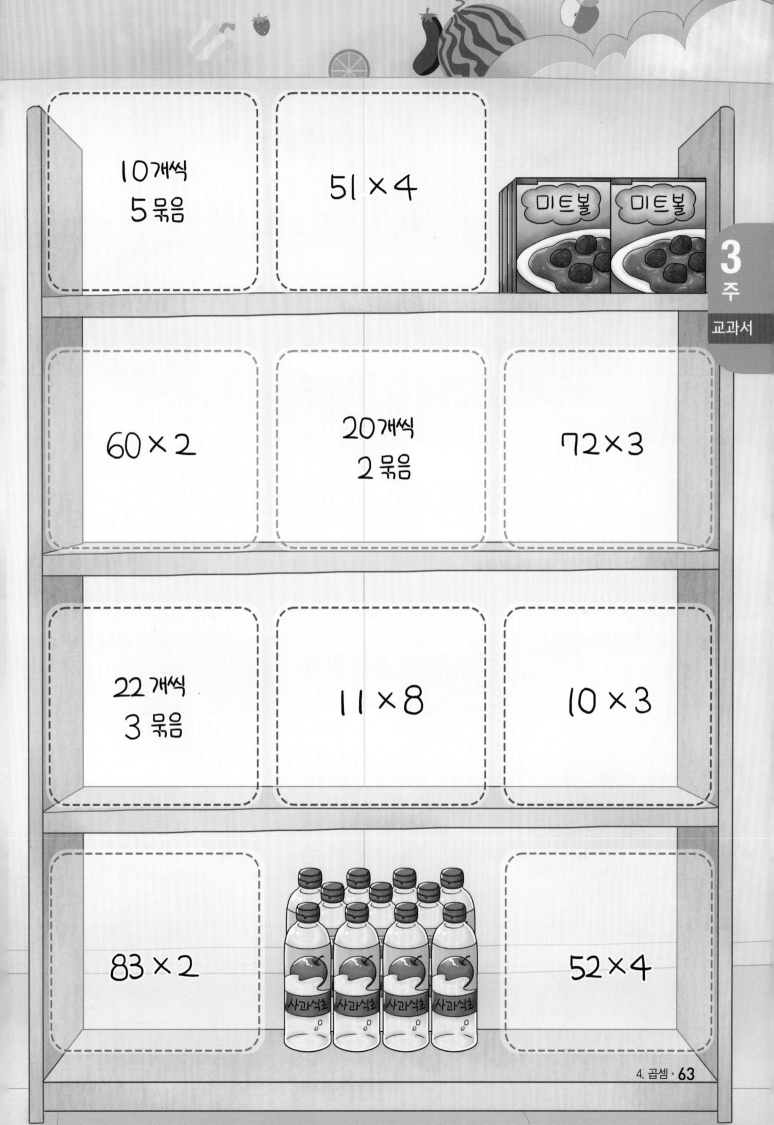

10개씩
5묶음

51 × 4

미트볼   미트볼

60 × 2

20개씩
2묶음

72 × 3

22 개씩
3 묶음

11 × 8

10 × 3

83 × 2

사과식초   사과식초   사과식초

52 × 4

준비물 ◀ 붙임딱지

풍선이 날아가지 못하도록 알맞은 계산 결과가 쓰인
돌을 매달아 보세요.

32×3

71×4

26×3

55×6

82×2

개념1 **(몇십)×(몇)**

01 계산해 보세요.

(1) 10×2

(2) 30×2

(3) 10×5

02 빈 곳에 알맞은 수를 써넣으세요.

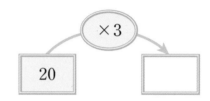

03 빈 곳에 두 수의 곱을 써넣으세요.

(1)

20	4

(2)

10	7

04 계산 결과가 같은 것끼리 선으로 이어 보세요.

10×8 •   • 20×2

10×4 •   • 40×2

개념 2 올림이 없는 (몇십몇)×(몇)

05 계산해 보세요.

(1)
```
    1 3
  ×   3
```

(2)
```
    2 2
  ×   2
```

(3)
```
    1 1
  ×   7
```

06 빈 곳에 알맞은 수를 써넣으세요.

(1)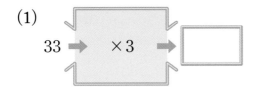

(2)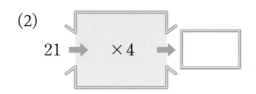

07 계산 결과를 비교하여 ○ 안에 >, =, <를 알맞게 써넣으세요.

$$21 \times 3 \bigcirc 41 \times 2$$

08 민지는 동화책을 매일 12쪽씩 읽었습니다. 민지가 4일 동안 읽은 동화책은 모두 몇 쪽일까요?

( )

2 단계 교과서 **개념 다지기**

개념 3 십의 자리에서 올림이 있는 (몇십몇) × (몇)

09 계산해 보세요.

(1)
```
      5 3
  ×     2
```

(2)
```
      7 1
  ×     4
```

(3)
```
      9 2
  ×     2
```

10 계산 결과가 다른 하나에 ◯표 하세요.

$$32 \times 4 \qquad 21 \times 8 \qquad 64 \times 2$$

11 빈칸에 알맞은 수를 써넣으세요.

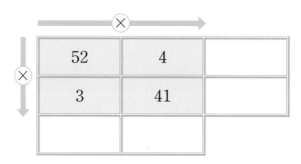

⊗ →		
52	4	
3	41	

12 쿠키가 한 상자에 42개씩 4상자 있습니다. 상자에 들어 있는 쿠키는 모두 몇 개인지 구해 보세요.

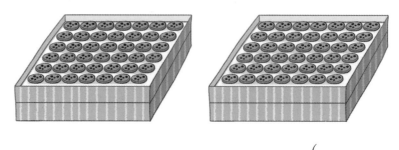

(   )

개념 4 일의 자리에서 올림이 있는 (몇십몇)×(몇)

13 계산해 보세요.

(1)　　2 8
　　　×　　3
　　───────

(2)　　1 9
　　　×　　5
　　───────

(3)　　3 6
　　　×　　2
　　───────

14 다음 계산에서 <u>잘못된</u> 부분을 찾아 바르게 고쳐 계산해 보세요.

　　　3 5
　　×　　2
　───────
　　　6 0

　　　3 5
　　×　　2
　───────

15 보기 와 같은 방법으로 계산해 보세요.

보기

　　　1 2
　　×　　6
　───────
　　　1 2
　　　6 0
　───────
　　　7 2

　　　1 7
　　×　　5
　───────

16 진석이네 농장에는 돼지가 19마리 있습니다. 돼지의 다리 수는 모두 몇 개인지 구해 보세요.

(　　　　　　　　　)

개념 5   십의 자리와 일의 자리에서 올림이 있는 (몇십몇)×(몇)

17 계산해 보세요.

(1)
$$\begin{array}{r} 1\ 8 \\ \times\quad 7 \\ \hline \end{array}$$

(2)
$$\begin{array}{r} 3\ 3 \\ \times\quad 6 \\ \hline \end{array}$$

(3)
$$\begin{array}{r} 9\ 2 \\ \times\quad 5 \\ \hline \end{array}$$

18 빈 곳에 알맞은 수를 써넣으세요.

(1)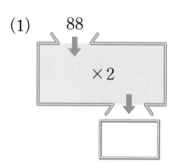

(2)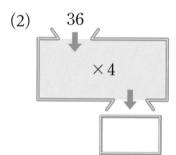

19 계산 결과를 비교하여 ○ 안에 >, =, <를 알맞게 써넣으세요.

(1) 24×5 ◯ 36×3

(2) 63×4 ◯ 87×2

20 빈 곳에 알맞은 수를 써넣으세요.

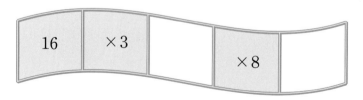

21 가장 큰 수와 가장 작은 수의 곱을 구해 보세요.

14	7	26	9

( )

22 계산 결과가 150보다 큰 것을 찾아 기호를 써 보세요.

㉠ 23×6 ㉡ 45×3 ㉢ 39×4

( )

23 지효네 학교 3학년은 6개 반입니다. 한 반의 학생이 26명으로 모두 같을 때, 지효네 학교 3학년 학생은 모두 몇 명인지 구해 보세요.

( )

24 석호는 끈으로 겹치는 부분 없이 다음과 같은 정사각형을 한 개 만들었습니다. 사용한 끈의 길이는 몇 cm인지 구해 보세요.

55 cm

( )

★ 계산 결과의 크기 비교하기

1 계산 결과가 더 큰 것의 기호를 써 보세요.

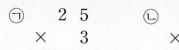

㉠   2 5
   ×   3

㉡   1 7
   ×   4

답 _____

개념 피드백
• 일의 자리에서 올림이 있는 (몇십몇)×(몇) 계산하기
① 일의 자리의 곱을 일의 자리에 쓰고, 십의 자리의 곱을 십의 자리에 씁니다.
② 일의 자리에서 올림한 수를 십의 자리 계산에 더합니다.

1-1 계산 결과가 가장 큰 것의 기호를 써 보세요.

㉠   3 0
   ×   4

㉡   4 8
   ×   3

㉢   5 2
   ×   2

(   )

1-2 계산 결과가 작은 것부터 차례로 기호를 써 보세요.

㉠ 52×7   ㉡ 46×9   ㉢ 39×8

(   )

★ 수의 크기를 비교하여 계산하기

2 가장 큰 수와 가장 작은 수의 곱을 구해 보세요.

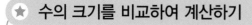

42   19   7   38

답 _____

> **개념
> 피드백**
>
> • 십의 자리와 일의 자리에서 올림이 있는 (몇십몇)×(몇) 계산하기
>
> (몇십몇)×(몇)은 일의 자리, 십의 자리 순서로 계산하고, 올림한 수에 주의합니다.

2-1 가장 큰 수와 가장 작은 수의 곱을 구해 보세요.

(   )

2-2 정아가 가지고 있는 수 카드의 수 중에서 더 큰 수와 민재가 가지고 있는 수 카드의 수 중에서 더 작은 수의 곱을 구해 보세요.

정아

민재

(   )

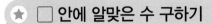

★ ☐ 안에 알맞은 수 구하기

3 ☐ 안에 알맞은 수를 써넣으세요.

(1)
```
    ☐ 4
  ×   4
  ───────
    9 6
```

(2)
```
    2 7
  ×   ☐
  ───────
    5 4
```

**개념
피드백**

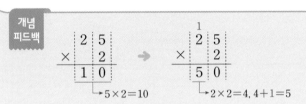

3-1 곱셈식에서 지워진 수를 구해 보세요.

```
      ● 3
  ×     2
  ─────────
    1 8 6
```

(   )

3-2 ☐ 안에 알맞은 수를 써넣으세요.

```
      7 ☐
  ×     4
  ─────────
  ☐ 8 4
```

★ 바르게 계산한 값 구하기

4 어떤 수에 3을 곱해야 할 것을 잘못하여 2를 더했더니 32가 되었습니다. 바르게 계산한 값을 구해 보세요.

답 _____

개념 피드백
• 바르게 계산한 값을 구하는 순서
① 잘못 계산한 식을 세웁니다.
② 잘못 계산한 식을 이용하여 어떤 수를 구합니다.
③ 어떤 수를 이용하여 바르게 계산합니다.

4-1 어떤 수에 9를 곱해야 할 것을 잘못하여 9로 나누었더니 몫이 4가 되었습니다. 바르게 계산한 값을 구해 보세요.

(   )

4-2 어떤 수에 5를 곱해야 할 것을 잘못하여 5를 뺐더니 40이 되었습니다. 바르게 계산한 값을 구해 보세요.

(   )

★ ☐ 안에 들어갈 수 있는 수 구하기

5 1부터 9까지의 수 중에서 ☐ 안에 들어갈 수 있는 수를 모두 구해 보세요.

$$47 \times 2 < 19 \times \boxed{}$$

답 _____

개념
피드백 >, <가 들어 있는 식은 ☐ 안에 주어진 수를 넣어 계산해 본 다음 조건에 알맞은 답을 구합니다.

5-1 1부터 9까지의 수 중에서 ☐ 안에 들어갈 수 있는 수를 모두 구해 보세요.

$$20 \times 4 > 32 \times \boxed{}$$

(   )

5-2 1부터 9까지의 수 중에서 ☐ 안에 들어갈 수 있는 수를 모두 구해 보세요.

$$59 \times \boxed{} > 45 \times 8$$

(   )

★ 수 카드로 곱셈식 만들기

6 다음 3장의 수 카드를 한 번씩만 사용하여 곱이 가장 큰 (몇십몇)×(몇)을 만들고 계산해 보세요.

개념 피드백 ㉠>㉡>㉢일 때 곱이 가장 큰 (몇십몇)×(몇)은 ㉡㉢×㉠입니다.

6-1 다음 3장의 수 카드를 한 번씩만 사용하여 곱이 가장 작은 (몇십몇)×(몇)을 만들고 계산해 보세요.

2 5 8 → ☐☐ × ☐ = ☐

6-2 다음 3장의 수 카드를 한 번씩만 사용하여 곱이 가장 큰 (몇십몇)×(몇)과 곱이 가장 작은 (몇십몇)×(몇)을 만들고 계산해 보세요.

• 곱이 가장 큰 곱셈식: ☐☐ × ☐ = ☐

• 곱이 가장 작은 곱셈식: ☐☐ × ☐ = ☐

1 승주는 9살입니다. 승주 오빠의 나이는 승주보다 3살 더 많고, 승주 아버지의 나이는 승주 오빠의 나이의 4배입니다. 승주 아버지의 나이는 몇 살인지 구해 보세요.

✏️ 구하려는 것, 주어진 것에 선을 그어 봅니다.

해결하기 승주 오빠의 나이는 ☐ + ☐ = ☐ (살)입니다.

따라서 승주 아버지의 나이는 ☐ × ☐ = ☐ (살)입니다.

답 구하기 ☐

2 정아는 8살입니다. 정아 언니의 나이는 정아 나이의 2배이고, 정아 어머니의 나이는 정아 언니의 나이의 3배입니다. 정아 어머니의 나이는 몇 살인지 구해 보세요.

✏️ 구하려는 것, 주어진 것에 선을 그어 봅니다.

해결하기

답 구하기

3 민지네 농장에는 염소 18마리와 닭 47마리가 있습니다. 민지네 농장에 있는 동물의 다리 수는 모두 몇 개인지 구해 보세요.

> ✏ 구하려는 것, 주어진 것에 선을 그어 봅니다.

> **해결하기** 염소 한 마리의 다리는 ☐ 개이므로 염소 18마리의 다리 수는
>
> 모두 18 × ☐ = ☐ (개)입니다.
>
> 닭 한 마리의 다리는 ☐ 개이므로 닭 47마리의 다리 수는
>
> 모두 47 × ☐ = ☐ (개)입니다.
>
> ➡ 민지네 농장에 있는 동물의 다리 수는 모두
>
> ☐ + ☐ = ☐ (개)입니다.

> **답 구하기** ☐

4 공원 주차장에 승용차 25대와 바퀴가 2개인 오토바이 19대가 세워져 있습니다. 주차장에 있는 승용차와 오토바이의 바퀴 수는 모두 몇 개인지 구해 보세요.

> ✏ 구하려는 것, 주어진 것에 선을 그어 봅니다.

> **해결하기**
>
> _____
>
> _____
>
> _____
>
> _____
>
> _____

> **답 구하기** _____

준비물 붙임딱지

은호네 반 학생들이 농장 체험을 갔습니다. 팔토시에 쓰여진 두 수의 곱이 모자에 쓰여진 수가
되도록 붙임딱지를 붙여 보세요.

PLAY 사고력 개념 스토리 막대 과자 완성하기

준비물 붙임딱지

막대 과자에 초콜릿을 바르려고 합니다. 초콜릿을 바른 부분과 바르지 않은 부분의 곱이 같게 되도록 붙임딱지를 붙여 보세요.

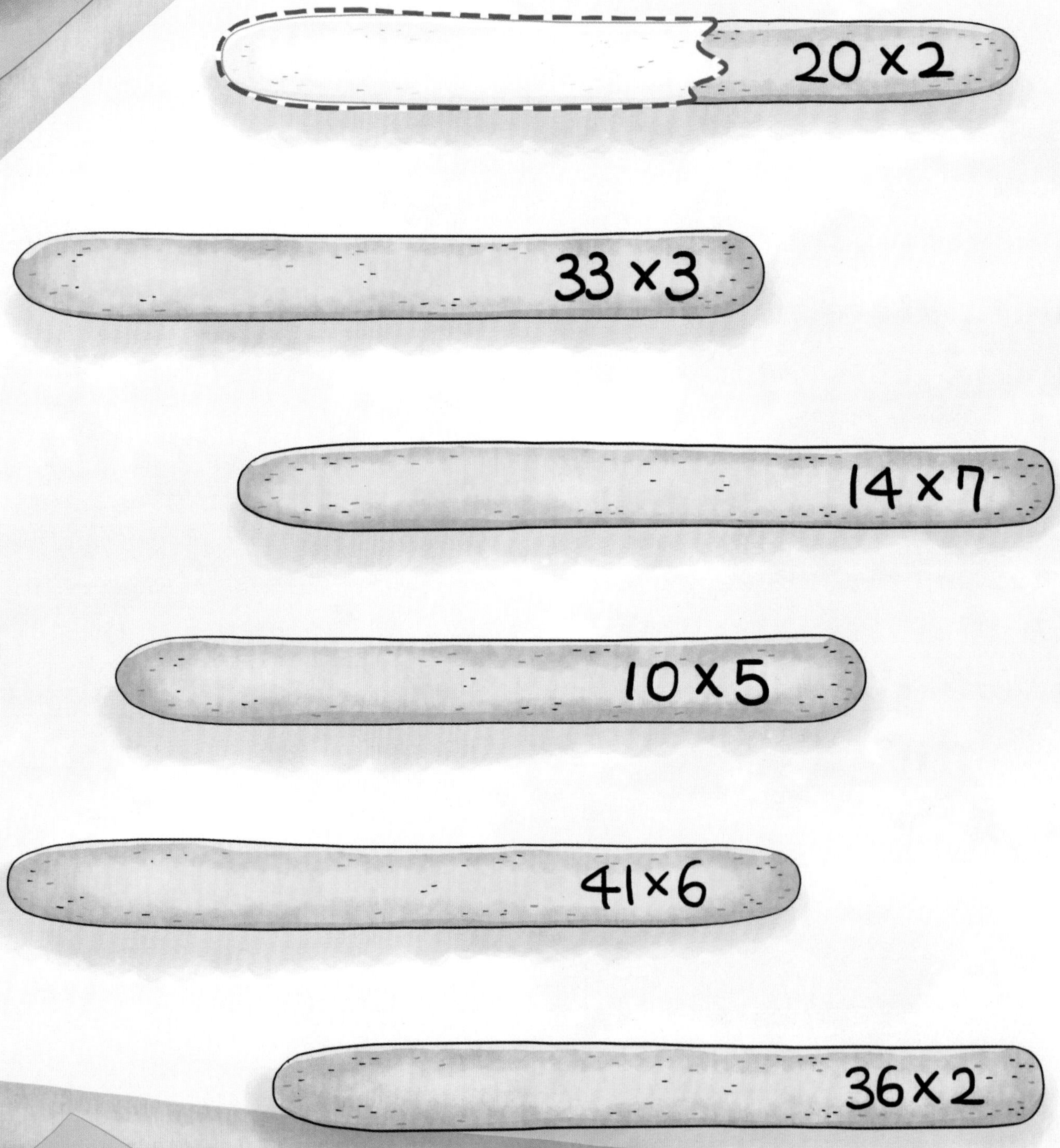

20×2
33×3
14×7
10×5
41×6
36×2

초콜릿을 바른 막대 과자에 아몬드나 사탕을 묻히려고 합니다. 아몬드나 사탕을 묻힌 부분과 묻히지 않은 부분의 곱이 같게 되도록 붙임딱지를 붙여 보세요.

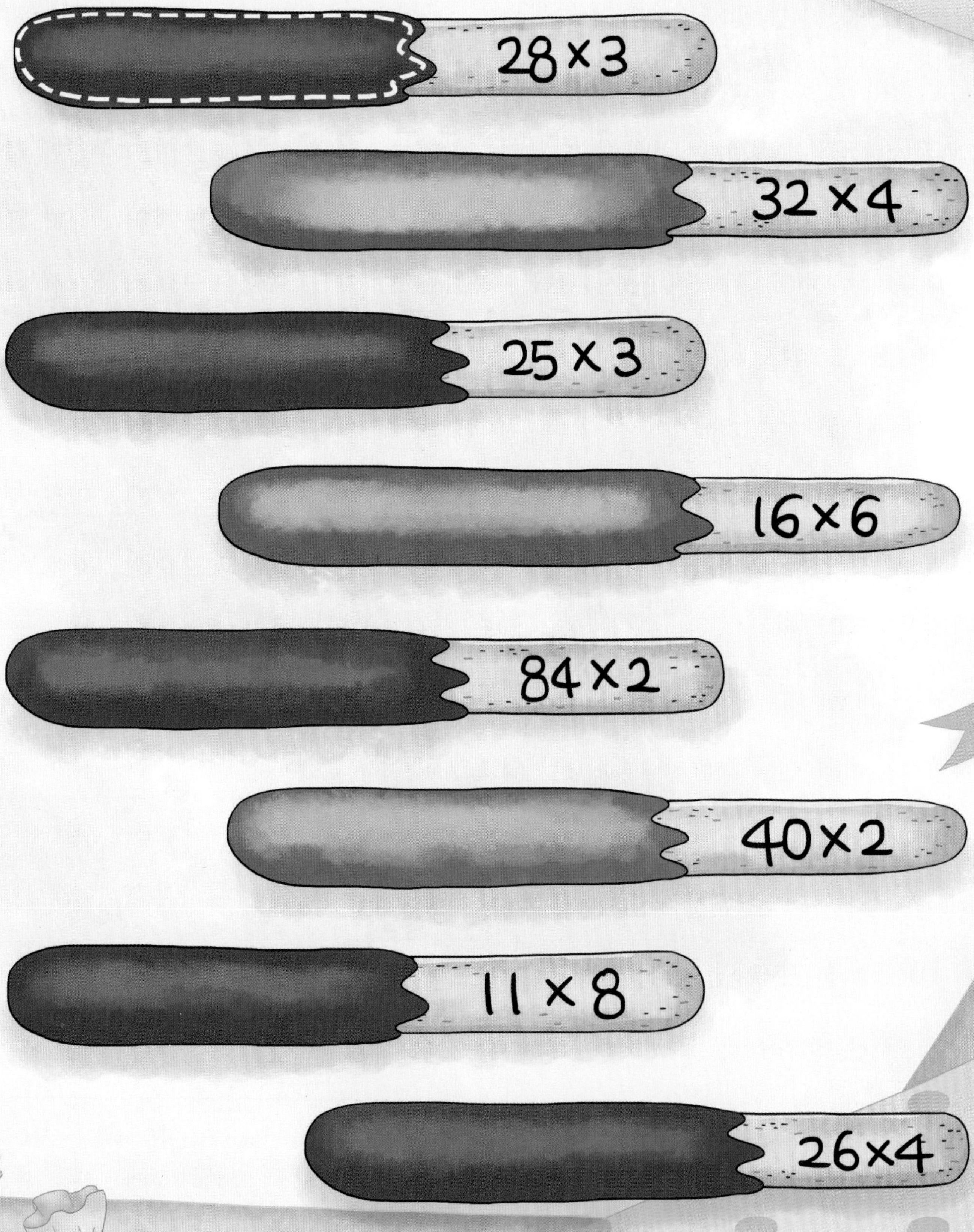

28×3

32×4

25×3

16×6

84×2

40×2

11×8

26×4

1 수를 한자로 다음과 같이 쓰고 '26'과 '8'을 한자로 각각 '二十六'과 '八'로 씁니다. 다음 곱셈의 한자를 수로 나타낸 다음 계산해 보세요.

一	二	三	四	五
일(1)	이(2)	삼(3)	사(4)	오(5)
六	七	八	九	十
육(6)	칠(7)	팔(8)	구(9)	십(10)

$$三十五 \times 七$$

1 三十五를 수로 나타내어 보세요.

(   )

2 七을 수로 나타내어 보세요.

(   )

3 三十五 × 七을 계산해 보세요.

(   )

2 여러 가지 물건을 세는 단위입니다. 오징어 5축, 굴비 4두름, 바늘 3쌈을 수가 큰 것부터 차례로 써 보세요.

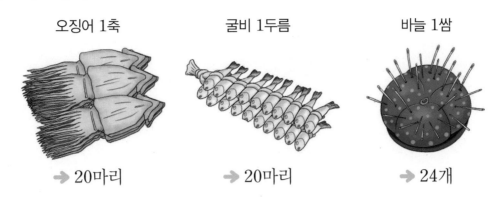

오징어 1축 → 20마리 굴비 1두름 → 20마리 바늘 1쌈 → 24개

1 오징어 5축은 오징어 몇 마리일까요?

( )

2 굴비 4두름은 굴비 몇 마리일까요?

( )

3 바늘 3쌈은 바늘 몇 개일까요?

( )

4 수가 큰 것부터 차례로 써 보세요.

( )

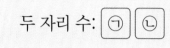

3 어떤 두 자리 수의 십의 자리 수와 일의 자리 수를 바꾼 다음 7을 곱하였더니 91이 되었습니다. 어떤 두 자리 수는 얼마인지 구해 보세요.

두 자리 수: ㉠ ㉡

↓

십의 자리 수와 일의 자리
수를 바꾼 수: ㉡ ㉠

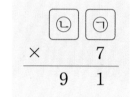

❶ ㉠에 알맞은 수를 구해 보세요.

(   )

❷ ㉡에 알맞은 수를 구해 보세요.

(   )

❸ 어떤 두 자리 수를 구해 보세요.

(   )

4 도로의 양쪽에 처음부터 끝까지 가로등 20개를 세웠습니다. 가로등 사이의 간격이 11 m로 모두 같다면 도로의 길이는 몇 m인지 구해 보세요. (단, 가로등의 굵기는 생각하지 않습니다.)

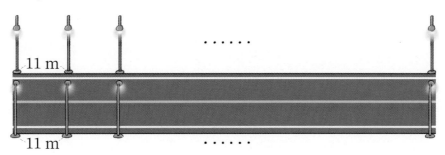

① 도로의 한쪽에 세운 가로등은 몇 개일까요?

(   )

② 도로의 한쪽에 11 m인 간격은 몇 군데일까요?

(   )

③ 도로의 길이는 몇 m일까요?

(   )

1 보기와 같은 방법으로 주어진 식의 합을 구해 보세요.

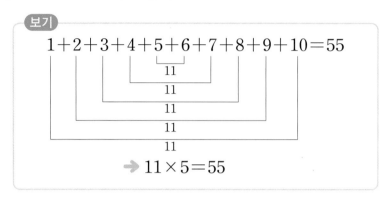

보기
$$1+2+3+4+5+6+7+8+9+10=55$$
11
11
11
11
11
$$\rightarrow 11 \times 5 = 55$$

$$21+22+23+24+25+26+27+28+29+30$$

① 위의 식에서 남는 수가 없도록 합이 같은 두 수를 모두 짝지어 선으로 연결해 보세요.

② 위의 식을 곱셈식으로 나타내고 계산해 보세요.

$$\boxed{} \times \boxed{} = \boxed{}$$

③ ☐ 안에 알맞은 수를 써넣으세요.

$$21+22+23+24+25+26+27+28+29+30 = \boxed{}$$

2 보기 에서 규칙을 찾아 빈 곳에 알맞은 수를 써넣으세요.

보기

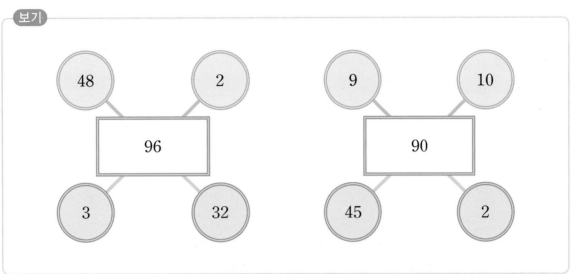

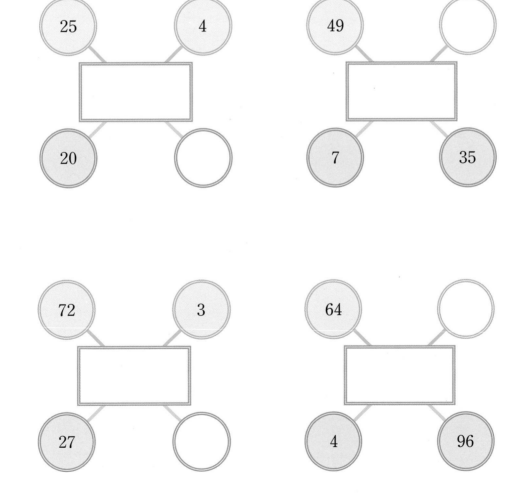

3 주어진 곱셈식에서 ♥, ★, ♠이 각각 같은 수일 때, ♥, ★, ♠에 알맞은 수는 얼마인지 구해 보세요.

①

♥ =(   )

②
$$\begin{array}{r} ★\,★ \\ \times \quad\; ★ \\ \hline 2\;7\;5 \end{array}$$

★ =(   )

③
$$\begin{array}{r} ♠\,♠ \\ \times \quad\; ♠ \\ \hline 5\;3\;9 \end{array}$$

♠ =(   )

4 전자 시계를 보고 다음과 같이 시각이 바뀌는 동안 시계의 긴바늘은 모두 몇 바퀴 도는 지 구해 보세요.

①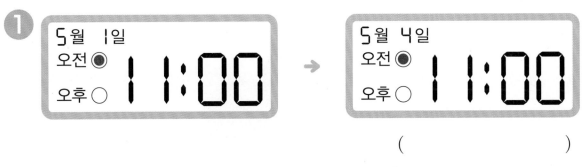

( )

②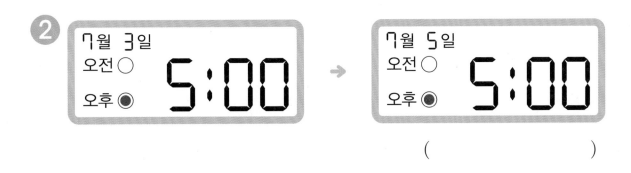

( )

③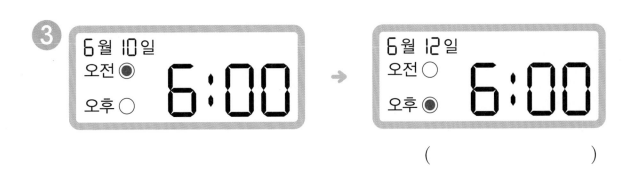

( )

1 과녁 맞히기 놀이에서 정국이가 맞힌 과녁입니다. 정국이가 얻은 점수는 모두 몇 점일까요?

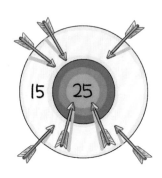

(   )

2 한 장의 길이가 29 cm인 색 테이프 3장을 9 cm씩 겹쳐서 이어 붙였습니다. 이어 붙인 색 테이프의 전체 길이는 몇 cm인지 구해 보세요.

29 cm   29 cm   29 cm

9 cm   9 cm

(   )

평가 영역 □개념 이해력 □개념 응용력 ☑창의력 □문제 해결력

3 선을 따라 만나는 곳에 알맞은 계산 결과를 써넣으세요.

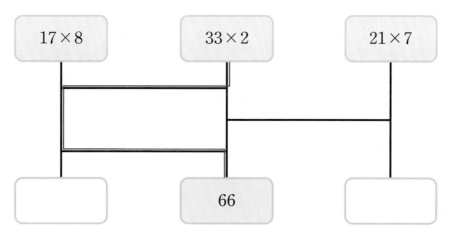

평가 영역 □개념 이해력 □개념 응용력 □창의력 ☑문제 해결력

4 계산이 바르게 된 길만 지나갈 수 있습니다. 다람쥐가 도토리를 먹으러 갈 수 있는 길을 선으로 그어 보세요.

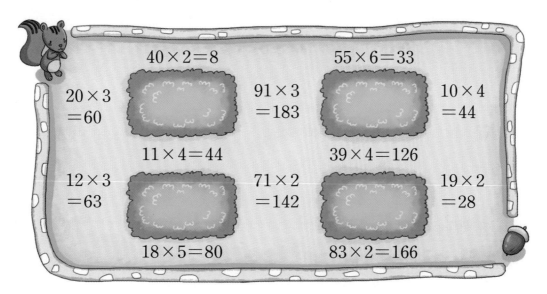

1 수 모형을 보고 □ 안에 알맞은 수를 써넣으세요.

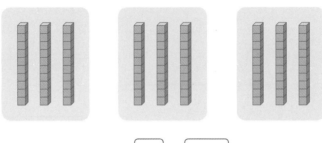

$$30 \times \boxed{} = \boxed{}$$

2 수직선을 보고 □ 안에 알맞은 수를 써넣으세요.

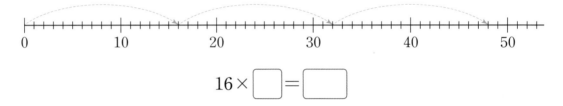

$$16 \times \boxed{} = \boxed{}$$

3 계산해 보세요.

(1)
$$\begin{array}{r} 4\ 0 \\ \times\quad 2 \\ \hline \end{array}$$

(2)
$$\begin{array}{r} 3\ 0 \\ \times\quad 2 \\ \hline \end{array}$$

(3) 51×4

(4) 18×3

4 빈 곳에 알맞은 수를 써넣으세요.

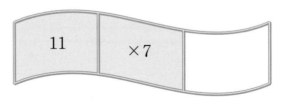

5 계산 결과를 비교하여 ◯ 안에 >, =, <를 알맞게 써넣으세요.

(1) 82×4 ◯ 320

(2) 65×6 ◯ 400

6 잘못된 부분을 찾아서 바르게 고쳐 보세요.

$$
\begin{array}{r}
6\ 3 \\
\times\quad 4 \\
\hline
1\ 2 \\
2\ 4 \\
\hline
3\ 6
\end{array}
$$

➡

$$
\begin{array}{r}
6\ 3 \\
\times\quad 4 \\
\hline
\end{array}
$$

7 계산 결과를 찾아 선으로 이어 보세요.

19×8	•		•	186
62×3	•		•	140
28×5	•		•	152

8 곱셈식을 보고 올림한 수 ②가 실제로 나타내는 값을 구해 보세요.

$$
\begin{array}{r}
②\quad\quad \\
2\ 6 \\
\times\quad 4 \\
\hline
1\ 0\ 4
\end{array}
$$

(   )

9 빈 곳에 알맞은 수를 써넣으세요.

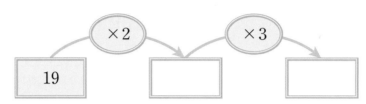

10 가장 큰 수와 가장 작은 수의 곱을 구해 보세요.

$$29 \qquad 53 \qquad 8 \qquad 7$$

(   )

11 빵을 한 모둠에 30개씩 3모둠에게 나누어 주려고 합니다. 필요한 빵은 모두 몇 개일까요?

(   )

12 ㉠과 ㉡의 합을 구해 보세요.

$$㉠ \ 72 \times 2 \qquad ㉡ \ 29 \times 6$$

(   )

13 가영이는 하루에 28분씩 매일 달리기를 합니다. 가영이가 일주일 동안 달리기를 하는 시간은 모두 몇 분인지 구해 보세요.

(   )

14 물감으로 곱셈식의 수가 지워졌습니다. 지워진 수를 구해 보세요.

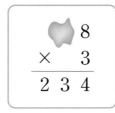

(   )

15 어떤 수에 3을 곱해야 할 것을 잘못하여 3을 더했더니 22가 되었습니다. 바르게 계산한 값을 구해 보세요.

(   )

16 정우는 동화책을 하루에 35쪽씩 읽었습니다. 5일 동안 읽은 동화책은 모두 몇 쪽인지 두 가지 방법으로 계산해 보세요.

방법1 _____

_____

방법2 _____

_____

17 보기에서 규칙을 찾아 빈 곳에 알맞은 수를 써넣으세요.

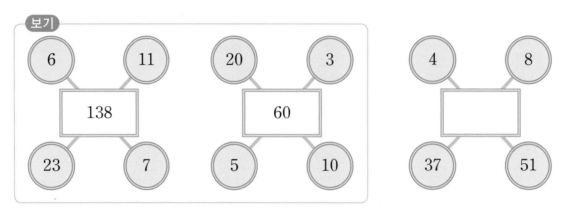

18 1부터 9까지의 수 중에서 □ 안에 들어갈 수 있는 수를 모두 구해 보세요.

$$35 \times \boxed{} < 19 \times 6$$

(   )

19 다음 세 장의 수 카드를 한 번씩만 사용하여 (몇십몇)×(몇)의 곱셈식을 만들려고 합니다. 곱이 가장 큰 곱셈식과 곱이 가장 작은 곱셈식을 만들고 각각 계산해 보세요.

곱이 가장 큰 식: □□ × □ = □

곱이 가장 작은 식: □□ × □ = □

① 계산기로 곱셈을 하려고 합니다. 계산기 버튼을 다음과 같은 순서로 눌렀을 때 나오는 계산 결과를 ▢ 안에 써넣으세요.

(1) **4** → **0** → **×** → **2** → **=** →

(2) **1** → **7** → **×** → **3** → **=** →

(3) **2** → **3** → **×** → **3** → **=** →

(4) **5** → **4** → **×** → **2** → **=** →

(5) **8** → **2** → **×** → **4** → **=** →

Memo

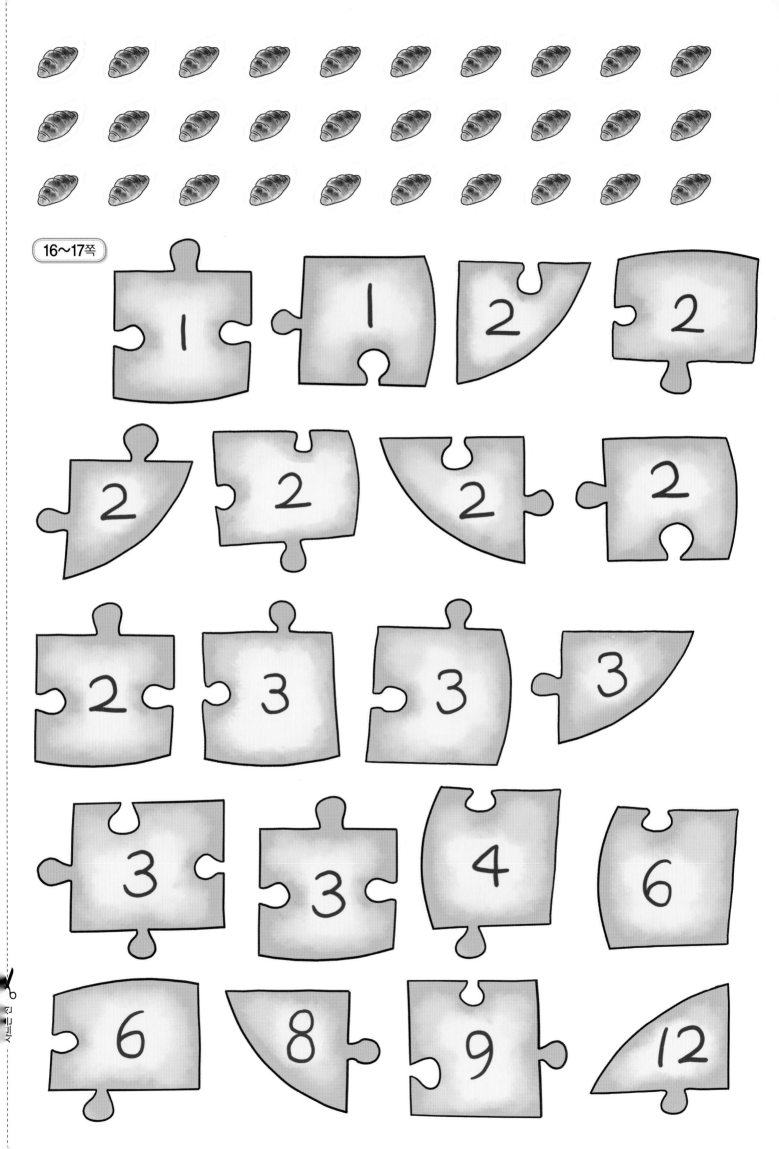

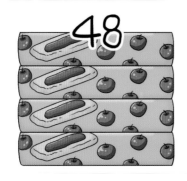

48

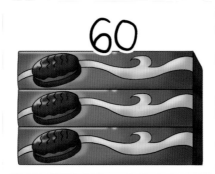

60

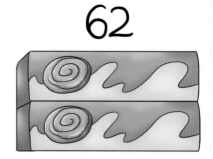

62

28

30

40

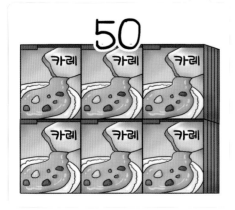

50

66

80

88

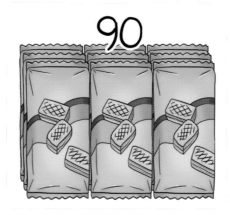

90

99

120

166

216

204

208

64~65쪽

284

78

90

74

96

98

99

86

112

164

184

222

248

330

516

428

69

211

153

72

2　2　2　2　3　3　3　3

4　4　4　4　5　5　5　5

6　6　6　6　7　7　7　7

82×3

10×4

18×4

11×9

25×2

49×2

32×3

21×4

64×2

20×4

44×2

15×5

52×2

42×4

자르는 선

Jump

뮤형 사고력

Run

GO!

교과서 사고력

Start

GO!

교과서 개념

#난이도별
#천재되는_수학교재

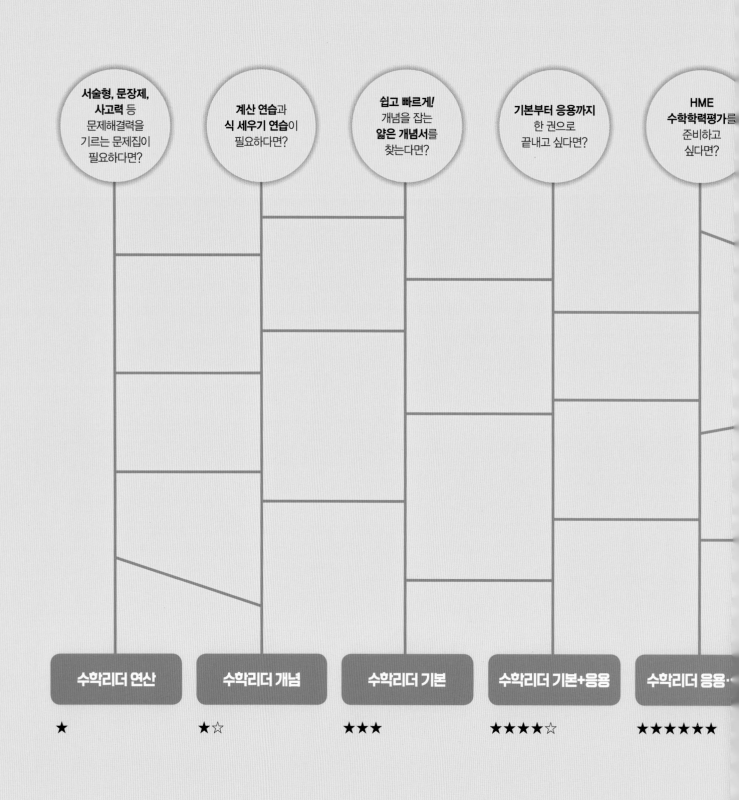

| 서술형, 문장제, 사고력 등 문제해결력을 기르는 문제집이 필요하다면? | 계산 연습과 식 세우기 연습이 필요하다면? | 쉽고 빠르게! 개념을 잡는 얇은 개념서를 찾는다면? | 기본부터 응용까지 한 권으로 끝내고 싶다면? | HME 수학학력평가를 준비하고 싶다면? |

| 수학리더 연산 | 수학리더 개념 | 수학리더 기본 | 수학리더 기본+응용 | 수학리더 응용· |
| ★ | ★☆ | ★★★ | ★★★★☆ | ★★★★★★ |

교과서 GO! 사고력 GO!

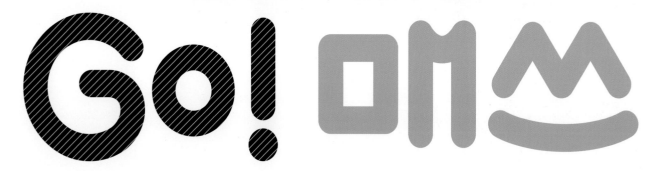

GO! 매쓰

Run-B

교과서 사고력

정답과 풀이   수학 3-1

정답과 해설
포인트 2가지

▶ 선생님이나 학부모가 쉽게 문제와 풀이를 한눈에 볼 수 있어요.

▶ 자세한 활동 수업에 대한 팁이 가득하게 들어 있어요.

3 나눗셈

나눗셈이 생긴 이유

어느 나라의 왕이 신하들에게 파이를 선물로 나누어 주려고 합니다.
왕은 파이 36개를 준비하였습니다. 신하 한 명에게 파이를 4개씩 주면 몇 명의 신하에게 나누어 줄 수 있는지 빼어 보기로 했습니다.

$$36-4-4-4-4-4-4\cdots\cdots$$

시간이 많이 걸려서 힘들다고 생각한 왕은 쉬운 방법을 찾아보았고, 그때 발견한 것이 나눗셈이라는 계산법이었습니다.
같은 수를 반복해서 빼야 할 경우 만들어진 개념인 나눗셈은 기호로 '÷'로 나타내고 1659년 스위스의 수학자 요한 하인리히 란이 최초로 사용했습니다.
'+', '−', '×'와 마찬가지로 수학 기호는 약속이기 때문에 '÷' 기호를 '나누기'라고 부르도록 합니다.

파이 36개를 한 명에게 4개씩 주려고 합니다. 파이 붙임딱지를 붙여 보고 몇 명의 신하에게 나누어 줄 수 있는지 알아보세요.

➡ **9** 명에게 나누어 줄 수 있습니다.

위의 풀이 과정을 뺄셈식으로 나타내고 ☐ 안에 알맞은 수를 써넣으세요.

$$36-4-4-4-4-4-4-\boxed{4}-\boxed{4}-\boxed{4}=0$$

➡ 36에서 4를 **9** 번 빼면 0이 됩니다.

1단계 교과서 개념 잡기

개념 1 똑같이 나누기 (1) – 똑같이 나누어 한 묶음의 수를 알아보는 경우

• 컵케이크 12개를 접시 3개에 똑같이 나누어 놓기

① 1개씩 번갈아 가며 놓기

② 2개씩 번갈아 가며 놓기

③ 4개씩 번갈아 가며 놓기

➡ 컵케이크 12개를 접시 3개에 똑같이 나누면 한 접시에 4개씩 놓이게 됩니다.
12를 3으로 나누면 4가 됩니다.

나눗셈식 $12 \div 3 = 4$

읽기 12 나누기 3은 4와 같습니다.

• 나눗셈식 $12 \div 3 = 4$ 알아보기

나누어지는 수 ⤵

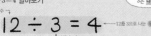$12 \div 3 = 4$ ⤺12를 3으로 나눈 몫
⤷ 나누는 수

4는 12를 3으로 나눈 몫
12는 나누어지는 수
3은 나누는 수예요.

개념 확인 문제

정답과 풀이 p.1

1-1 사탕 15개를 3상자에 똑같이 나누어 담으려고 합니다. 상자 한 개에 사탕을 몇 개씩 담을 수 있는지 상자에 ○를 그려 알아보세요.

➡ 상자 한 개에 사탕을 **5** 개씩 담을 수 있습니다.

❖ 사탕 15개를 3상자에 똑같이 나누어 담으면 상자 한 개에 사탕을 5개씩 담을 수 있습니다.

1-2 나눗셈식을 읽어 보세요.

(1) $20 \div 4 = 5$ 읽기 **20 나누기 4는 5와 같습니다.**

(2) $14 \div 2 = 7$ 읽기 **14 나누기 2는 7과 같습니다.**

❖ '÷'는 '나누기', '='는 '~와 같습니다'라고 읽습니다.

1-3 붙임딱지 10장을 5곳에 똑같이 나누어 붙이면 한 곳에 몇 장씩 붙일 수 있는지 나눗셈식으로 나타내어 보세요.

 ➡ ☐ ☐ ☐ ☐ ☐

$$10 \div 5 = \boxed{2}$$

❖ 붙임딱지 10장을 5곳에 똑같이 나누어 붙이면 한 곳에 2장씩 입니다. ➡ $10 \div 5 = 2$

1-4 과자 18개를 6명이 똑같이 나누어 먹으려고 합니다. 한 명이 과자를 몇 개씩 먹을 수 있는지 나눗셈식으로 나타내어 보세요.

$$\boxed{18} \div \boxed{6} = \boxed{3}$$

❖ 과자 18개를 6명이 똑같이 나누어 먹으면 한 명이 3개씩 먹을 수 있습니다. ➡ $18 \div 6 = 3$

1단계 교과서 개념 잡기

개념 2 똑같이 나누기 (2) – 똑같이 나누었을 때 묶음 수를 알아보는 경우

· 사과 15개를 한 바구니에 3개씩 담기

→ 사과 15개를 한 바구니에 3개씩 담으려면 바구니가 5개 필요합니다.

· 바둑돌 15개를 3개씩 덜어 내기

→ 바둑돌 15개를 3개씩 덜어 내면 5번 덜어 낼 수 있습니다.

뺄셈식 $15-3-3-3-3-3=0$

3개씩 5번 덜어 낼 수 있습니다.

나눗셈식 $15÷3=5$

> 뺄셈식을 나눗셈식으로 나타낼 수 있어요.

· 딸기 28개를 한 명에게 4개씩 주기

뺄셈식 $28-4-4-4-4-4-4-4=0$

나눗셈식 $28÷4=\boxed{7}$

· 뺄셈식을 나눗셈식으로 나타내기

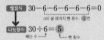

뺄셈식 $30-6-6-6-6-6=0$

나눗셈식 $30÷6=\boxed{5}$

뺄셈식 $32-8-8-8-8=0$

나눗셈식 $32÷8=\boxed{4}$

8 · Run - Ⓑ 3-1

개념 확인 문제

정답과 풀이 p.2

2-1 우유 10개를 2개씩 묶으면 몇 묶음이 되는지 알아보세요.

예

(1) 우유를 2개씩 묶어 보고, 몇 묶음인지 구해 보세요.

(**5묶음**)

(2) 우유 10개를 2개씩 묶으면 몇 묶음인지 나눗셈식으로 나타내어 보세요.

$10÷2=\boxed{5}$

2-2 마카롱 42개를 한 명에게 6개씩 주면 몇 명에게 나누어 줄 수 있는지 나눗셈식으로 나타내어 보세요.

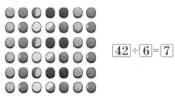

$\boxed{42}÷\boxed{6}=\boxed{7}$

✦ 마카롱 42개를 한 명에게 6개씩 주면 7명에게 나누어 줄 수 있습니다. → $42÷6=7$

2-3 뺄셈식을 나눗셈식으로 나타내어 보세요.

(1) $21-7-7-7=0$　　(2) $30-5-5-5-5-5-5=0$

→ $21÷\boxed{7}=\boxed{3}$　　→ $30÷\boxed{5}=\boxed{6}$

✦ (1) $21-7-7-7=0$ → $21÷7=3$

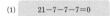 3 번　　빼는 수↗ ↖ 뺀 횟수

(2) $30-5-5-5-5-5-5=0$ → $30÷5=6$

6 번　　빼는 수↗ ↖ 뺀 횟수

3. 나눗셈 · 9

1단계 교과서 개념 잡기

개념 3 곱셈과 나눗셈의 관계

· 오렌지 30개를 똑같이 나누기

① 친구 5명이 똑같이 나눌 때　　② 친구 6명이 똑같이 나눌 때

한 명이 6개씩 가질 수 있습니다.　　한 명이 5개씩 가질 수 있습니다.

곱셈식 $5×6=30$　　곱셈식 $5×6=30$

나눗셈식 $30÷5=6$　　나눗셈식 $30÷6=5$

개념 4 나눗셈의 몫을 곱셈식으로 구하기

· 포도 27송이를 9송이씩 묶었을 때 묶음 수 구하기

포도의 묶음 수를 나타내는 나눗셈식: $27÷9=3$ ← 포도 27송이를 9송이씩 묶으면 3묶음이 됩니다.

나눗셈의 몫을 구할 수 있는 곱셈식: $9×\boxed{3}=27$ ← 9씩 3묶음이 ◯로 나타냅니다.

→ $9×3=27$이므로 $27÷9$의 몫은 3입니다.

27÷9의 몫을 곱셈식으로 구하는 방법

$27÷9=\boxed{}$의 몫 $\boxed{}$는 $9×3=27$을 이용해 구할 수 있습니다.

$9×3=27$

$27÷9=\boxed{}$ → $27÷9$의 몫은 3입니다.

10 · Run - Ⓑ 3-1

개념 확인 문제

정답과 풀이 p.2

3-1 그림을 보고 ☐ 안에 알맞은 수를 써넣으세요.

곱셈식 $5×4=20$

나눗셈식 $20÷5=\boxed{4}$

$20÷4=\boxed{5}$

3-2 곱셈식을 나눗셈식으로 나타내어 보세요.

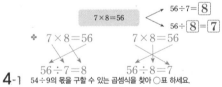

$7×8=56$

$56÷7=\boxed{8}$

$56÷\boxed{8}=\boxed{7}$

✦ $7×8=56$　　$7×8=56$

$56÷7=8$　　$56÷8=7$

4-1 $54÷9$의 몫을 구할 수 있는 곱셈식을 찾아 ◯표 하세요.

$9×5=45$　　$\boxed{9×6=54}$　　$9×7=63$　　$9×8=72$

✦ $9×6=54$

$54÷9=\boxed{6}$

4-2 꽃 21송이를 꽃병 7개에 똑같이 나누어 꽂으려고 합니다. 꽃병 한 개에 몇 송이씩 꽂아야 하는지 알아보세요.

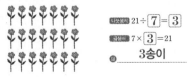

나눗셈식 $21÷\boxed{7}=\boxed{3}$

곱셈식 $7×\boxed{3}=21$

답 **3송이**

✦ $7×3=21$이므로 $21÷7$의 몫은 3입니다.

3. 나눗셈 · 11

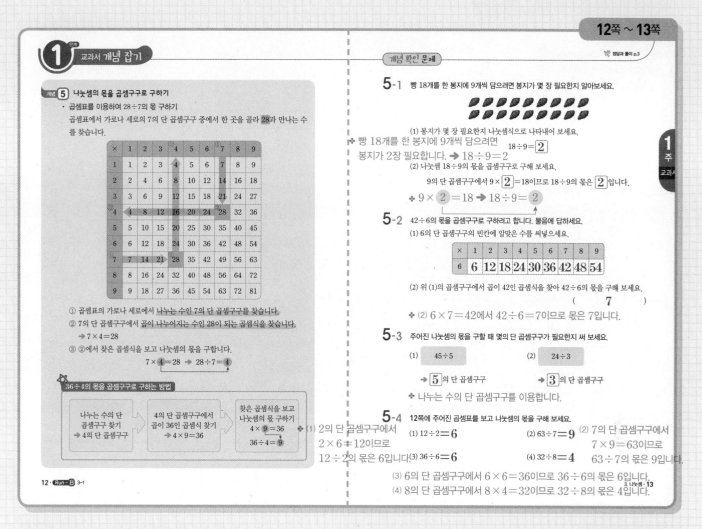

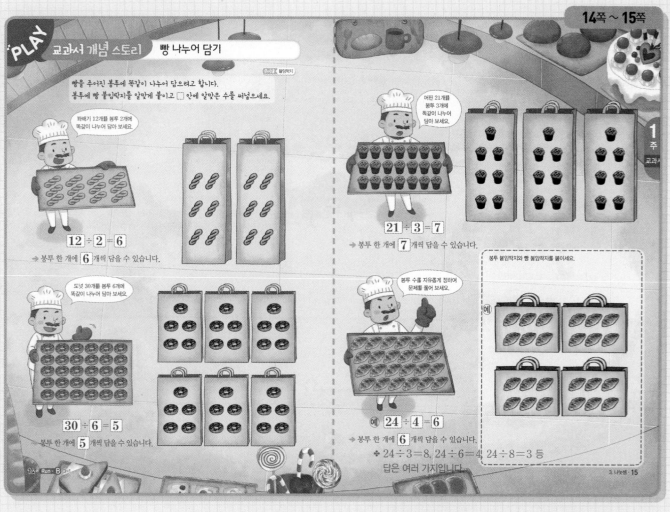

2 단계 교과서 개념 다지기

정답과 풀이 p.4

개념 1 똑같이 나누기 (1)

01 도넛 16개를 접시 4개에 똑같이 나누어 담으려고 합니다. 접시 한 개에 도넛을 몇 개씩 담을 수 있는지 접시에 ○를 그려서 구해 보세요.

→ 접시 한 개에 도넛을 **4**개씩 담을 수 있습니다.

02 나눗셈식으로 나타내어 보세요.

(1) 42 나누기 6은 7과 같습니다. → $\boxed{42} \div \boxed{6} = \boxed{7}$

(2) 72 나누기 9는 8과 같습니다. → $\boxed{72} \div \boxed{9} = \boxed{8}$

÷ '● 나누기 ■ 는 ▲와 같습니다.'는 나눗셈식으로 '● ÷ ■ = ▲' 라고 나타냅니다.

03 나눗셈식에서 몫을 찾아 쓰고, 나눗셈식을 읽어 보세요.

$$24 \div 4 = 6$$

 몫 **6** 읽기 **24 나누기 4는 6과 같습니다.**

÷ 6은 24를 4로 나눈 몫입니다.

04 젤리 40개를 5명에게 똑같이 나누어 주려고 합니다. 한 명에게 젤리를 몇 개씩 줄 수 있는지 구해 보세요.

(**8개**)

18 · Run - B 3-1 ÷ 젤리 40개를 5명에게 똑같이 나누어 주면 한 명에게 8개씩 줄 수 있습니다. → 40÷5=8

개념 2 똑같이 나누기 (2)

05 삼각김밥 18개를 한 명에게 3개씩 주면 몇 명에게 나누어 줄 수 있는지 알아보려고 합니다. 물음에 답하세요.

(1) 18에서 3을 몇 번 빼면 0이 되는지 뺄셈식을 쓰고 답을 구해 보세요.

식 $18 - \boxed{3} - \boxed{3} - \boxed{3} - \boxed{3} - \boxed{3} - \boxed{3} = 0$

답 **6번**

(2) 나눗셈식으로 나타내어 보세요.

$$\boxed{18} \div \boxed{3} = \boxed{6}$$

÷ (1) 18−3−3−3−3−3−3=0
       6번

(2) 18에서 3을 6번 빼면 0이 되므로 18÷3=6입니다.

06 나눗셈식 12÷3=4를 뺄셈식으로 바르게 나타낸 것을 찾아 기호를 써 보세요.

㉠ 12−2−2−2−2−2−2=0
㉡ 12−3−3−3−3=0
㉢ 12−4−4−4=0

÷ 12÷3=4 → 12에서 3을 4번 빼면 0이 됩니다. (㉡)
12−3−3−3−3=0
       4번

07 우유 21개를 한 상자에 7개씩 담으려면 필요한 상자는 몇 개인지 구해 보세요.

(**3개**)

÷ 우유 21개를 7개씩 묶으면 3묶음이 됩니다. → 21÷7=3 3. 나눗셈 · 19

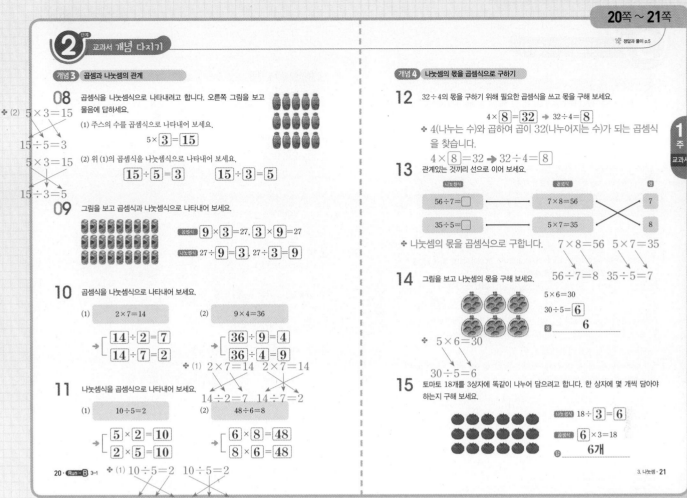

2 단계 교과서 **개념 다지기**

정답과 풀이 p.5

개념 **3** 곱셈과 나눗셈의 관계

08 곱셈식을 나눗셈식으로 나타내려고 합니다. 오른쪽 그림을 보고 물음에 답하세요.

(1) 주스의 수를 곱셈식으로 나타내어 보세요.
$$5 \times \boxed{3} = \boxed{15}$$

(2) 위 (1)의 곱셈식을 나눗셈식으로 나타내어 보세요.
$$\boxed{15} \div \boxed{5} = \boxed{3} \qquad \boxed{15} \div \boxed{3} = \boxed{5}$$

❖ (2) $5 \times 3 = 15$
$15 \div 5 = 3$
$15 \times 3 = 15$
$15 \div 3 = 5$

09 그림을 보고 곱셈식과 나눗셈식으로 나타내어 보세요.

곱셈식 $\boxed{9} \times \boxed{3} = 27$, $\boxed{3} \times \boxed{9} = 27$
나눗셈식 $27 \div \boxed{9} = \boxed{3}$, $27 \div \boxed{3} = \boxed{9}$

10 곱셈식을 나눗셈식으로 나타내어 보세요.

(1) $2 \times 7 = 14$
→ $\boxed{14} \div \boxed{2} = \boxed{7}$
$\boxed{14} \div \boxed{7} = \boxed{2}$

(2) $9 \times 4 = 36$
→ $\boxed{36} \div \boxed{9} = \boxed{4}$
$\boxed{36} \div \boxed{4} = \boxed{9}$

❖ (1) $2 \times 7 = 14$ $2 \times 7 = 14$
$14 \div 2 = 7$ $14 \div 7 = 2$

11 나눗셈식을 곱셈식으로 나타내어 보세요.

(1) $10 \div 5 = 2$
→ $\boxed{5} \times \boxed{2} = \boxed{10}$
$\boxed{2} \times \boxed{5} = \boxed{10}$

(2) $48 \div 6 = 8$
→ $\boxed{6} \times \boxed{8} = \boxed{48}$
$\boxed{8} \times \boxed{6} = \boxed{48}$

20 · Run B 3-1 ❖ (1) $10 \div 5 = 2$ $10 \div 5 = 2$
$5 \times 2 = 10$ $2 \times 5 = 10$

개념 **4** 나눗셈의 몫을 곱셈식으로 구하기

12 $32 \div 4$의 몫을 구하기 위해 필요한 곱셈식을 쓰고 몫을 구해 보세요.
$$4 \times \boxed{8} = \boxed{32} \rightarrow 32 \div 4 = \boxed{8}$$

❖ 4(나누는 수)와 곱하여 곱이 32(나누어지는 수)가 되는 곱셈식을 찾습니다.
$$4 \times \boxed{8} = 32 \rightarrow 32 \div 4 = \boxed{8}$$

13 관계있는 것끼리 선으로 이어 보세요.

나눗셈식	곱셈식	몫
$56 \div 7 = \square$	$7 \times 8 = 56$	7
$35 \div 5 = \square$	$5 \times 7 = 35$	8

❖ 나눗셈의 몫을 곱셈식으로 구합니다. $7 \times 8 = 56$ $5 \times 7 = 35$
$$56 \div 7 = 8 \qquad 35 \div 5 = 7$$

14 그림을 보고 나눗셈의 몫을 구해 보세요.

$5 \times 6 = 30$
$30 \div 5 = \boxed{6}$
답 **6**

❖ $5 \times 6 = 30$
$30 \div 5 = 6$

15 토마토 18개를 3상자에 똑같이 나누어 담으려고 합니다. 한 상자에 몇 개씩 담아야 하는지 구해 보세요.

나눗셈식 $18 \div \boxed{3} = \boxed{6}$
곱셈식 $\boxed{6} \times 3 = 18$
답 **6개**

3. 나눗셈 · 21

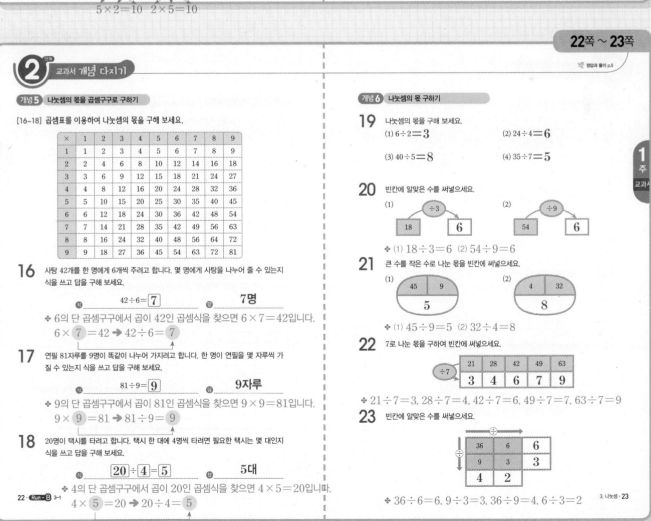

2 단계 교과서 **개념 다지기**

정답과 풀이 p.5

개념 **5** 나눗셈의 몫을 곱셈구구로 구하기

[16~18] 곱셈표를 이용하여 나눗셈의 몫을 구해 보세요.

×	1	2	3	4	5	6	7	8	9
1	1	2	3	4	5	6	7	8	9
2	2	4	6	8	10	12	14	16	18
3	3	6	9	12	15	18	21	24	27
4	4	8	12	16	20	24	28	32	36
5	5	10	15	20	25	30	35	40	45
6	6	12	18	24	30	36	42	48	54
7	7	14	21	28	35	42	49	56	63
8	8	16	24	32	40	48	56	64	72
9	9	18	27	36	45	54	63	72	81

16 사탕 42개를 한 명에게 6개씩 주려고 합니다. 몇 명에게 사탕을 나누어 줄 수 있는지 식을 쓰고 답을 구해 보세요.

식 $42 \div 6 = \boxed{7}$ 답 **7명**

❖ 6의 단 곱셈구구에서 곱이 42인 곱셈식을 찾으면 $6 \times 7 = 42$입니다.
$$6 \times \boxed{7} = 42 \rightarrow 42 \div 6 = \boxed{7}$$

17 연필 81자루를 9명이 똑같이 나누어 가지려고 합니다. 한 명이 연필을 몇 자루씩 가질 수 있는지 식을 쓰고 답을 구해 보세요.

식 $81 \div 9 = \boxed{9}$ 답 **9자루**

❖ 9의 단 곱셈구구에서 곱이 81인 곱셈식을 찾으면 $9 \times 9 = 81$입니다.
$$9 \times \boxed{9} = 81 \rightarrow 81 \div 9 = \boxed{9}$$

18 20명이 택시를 타려고 합니다. 택시 한 대에 4명씩 타려면 필요한 택시는 몇 대인지 식을 쓰고 답을 구해 보세요.

식 $\boxed{20} \div \boxed{4} = \boxed{5}$ 답 **5대**

❖ 4의 단 곱셈구구에서 곱이 20인 곱셈식을 찾으면 $4 \times 5 = 20$입니다.
$$4 \times \boxed{5} = 20 \rightarrow 20 \div 4 = \boxed{5}$$

22 · Run B 3-1

개념 **6** 나눗셈의 몫 구하기

19 나눗셈의 몫을 구해 보세요.
(1) $6 \div 2 = \textbf{3}$
(2) $24 \div 4 = \textbf{6}$
(3) $40 \div 5 = \textbf{8}$
(4) $35 \div 7 = \textbf{5}$

20 빈칸에 알맞은 수를 써넣으세요.

(1) $18 \xrightarrow{\div 3} \boxed{6}$
(2) $54 \xrightarrow{\div 9} \boxed{6}$

❖ (1) $18 \div 3 = 6$ (2) $54 \div 9 = 6$

21 큰 수를 작은 수로 나눈 몫을 빈칸에 써넣으세요.

(1) $45 \mid 9$ → $\boxed{5}$
(2) $4 \mid 32$ → $\boxed{8}$

❖ (1) $45 \div 9 = 5$ (2) $32 \div 4 = 8$

22 7로 나눈 몫을 구하여 빈칸에 써넣으세요.

$\div 7$	21	28	42	49	63
	3	4	6	7	9

❖ $21 \div 7 = 3$, $28 \div 7 = 4$, $42 \div 7 = 6$, $49 \div 7 = 7$, $63 \div 7 = 9$

23 빈칸에 알맞은 수를 써넣으세요.

÷		
36	6	6
9	3	3
4	2	

❖ $36 \div 6 = 6$, $9 \div 3 = 3$, $36 \div 9 = 4$, $6 \div 3 = 2$

3. 나눗셈 · 23

③ 단계 교과서 실력 다지기

정답과 풀이 p.6

★ 나눗셈의 활용

1 바나나 32개를 4명이 똑같이 나누어 가지려고 합니다. 한 명이 바나나를 몇 개씩 가질 수 있는지 나눗셈식을 쓰고 답을 구해 보세요.

식 $32 \div 4 = 8$

답 8개

개념 피드백 • 나눗셈식 알아보기
▲÷■=● 읽기 나누기 는 ●와 같습니다.
▲: 나누어지는 수, ■: 나누는 수, ●: 몫

✦ (한 명이 가질 수 있는 바나나 수)=(전체 바나나 수)÷(사람 수)
$=32 \div 4 = 8$(개)

1-1 망고 36개를 9명이 똑같이 나누어 가지려고 합니다. 한 명이 망고를 몇 개씩 가질 수 있는지 나눗셈식을 쓰고 답을 구해 보세요.

식 $36 \div 9 = 4$

답 4개

✦ (한 명이 가질 수 있는 망고 수)=(전체 망고 수)÷(사람 수)
$=36 \div 9 = 4$(개)

1-2 56쪽짜리 책을 하루에 7쪽씩 매일 읽으려고 합니다. 이 책을 모두 읽으려면 며칠이 걸리는지 나눗셈식을 쓰고 답을 구해 보세요.

식 $56 \div 7 = 8$

답 8일

✦ (책을 모두 읽는 데 걸리는 날수)=(책 전체의 쪽수)÷(하루에 읽는 쪽수)
$=56 \div 7 = 8$(일)

★ 나눗셈의 몫 비교하기

2 나눗셈의 몫의 크기를 비교하여 ○ 안에 >, =, <를 알맞게 써넣으세요.

$12 \div 2$ ⊜ $30 \div 5$

개념 피드백
• 12÷2의 몫을 곱셈식으로 구하기
$2 \times 6 = 12$
$12 \div 2 = \square$

• 12÷2의 몫을 곱셈구구로 구하기
2의 단 곱셈구구에서 곱이 12가 되는 곱셈식을 찾습니다.
$2 \times \square = 12 \Rightarrow 12 \div 2 = \square$

✦ $12 \div 2 = 6$, $30 \div 5 = 6$
따라서 두 나눗셈의 몫은 같습니다.

2-1 나눗셈의 몫의 크기를 비교하여 ○ 안에 >, =, <를 알맞게 써넣으세요.

$21 \div 3$ ⊘ $64 \div 8$

✦ $21 \div 3 = 7$, $64 \div 8 = 8 \Rightarrow 7 < 8$

2-2 몫이 큰 것부터 차례로 기호를 써 보세요.

ⓐ $72 \div 9$ ⓑ $45 \div 5$
ⓒ $36 \div 6$ ⓓ $28 \div 4$

(ⓑ, ⓐ, ⓓ, ⓒ)

✦ ⓐ $72 \div 9 = 8$ ⓑ $45 \div 5 = 9$
ⓒ $36 \div 6 = 6$ ⓓ $28 \div 4 = 7$
$\Rightarrow 9 > 8 > 7 > 6$이므로 ⓑ>ⓐ>ⓓ>ⓒ입니다.

③ 단계 교과서 실력 다지기

정답과 풀이 p.6

★ 수의 크기를 비교하여 나눗셈하기

3 가장 큰 수를 가장 작은 수로 나눈 몫을 구해 보세요.

72   8   9   64

답 9

개념 피드백
① 주어진 수의 크기를 비교하여 가장 큰 수와 가장 작은 수를 알아봅니다.
② (가장 큰 수)÷(가장 작은 수)를 계산합니다.

✦ $72 > 64 > 9 > 8$이므로 가장 큰 수는 72이고 가장 작은 수는 8입니다. $\Rightarrow 72 \div 8 = 9$

3-1 가장 큰 수를 가장 작은 수로 나눈 몫을 구해 보세요.

56   8   7   45

(8)

✦ $56 > 45 > 8 > 7$이므로 가장 큰 수는 56이고 가장 작은 수는 7입니다. $\Rightarrow 56 \div 7 = 8$

3-2 두 번째로 큰 수를 가장 작은 수로 나눈 몫을 구해 보세요.

32   7   28   4

(7)

✦ $32 > 28 > 7 > 4$이므로 두 번째로 큰 수는 28이고 가장 작은 수는 4입니다. $\Rightarrow 28 \div 4 = 7$

★ 수 카드로 나눗셈식 만들기

4 수 카드 4장 중에서 2장을 골라 모두 한 번씩만 사용하여 다음과 같은 나눗셈을 만들었습니다. 이때 몫이 가장 큰 한 자리 수인 나눗셈의 계산 결과를 구해 보세요.

2 3 6 8 → $\square\square \div 7$

답 9

개념 피드백
① 주어진 수 카드로 만들 수 있는 두 자리 수를 알아봅니다.
② 알맞은 나눗셈을 만들어 몫을 알아보고, 그 몫의 크기를 비교해 봅니다.

✦ 만들 수 있는 두 자리 수는 23, 26, 28, 32, 36, 38, 62, 63, 68, 82, 83, 86입니다. 나누는 수가 7이므로 만들 수 있는 나눗셈식은 $28 \div 7 = 4$, $63 \div 7 = 9$입니다. $\Rightarrow 4 < 9$이므로 가장 큰 몫은 9입니다.

4-1 수 카드 4장 중에서 2장을 골라 모두 한 번씩만 사용하여 다음과 같은 나눗셈을 만들었습니다. 이때 몫이 가장 큰 한 자리 수인 나눗셈의 계산 결과를 구해 보세요.

1 2 3 4 → $\square\square \div 4$

(8)

✦ 만들 수 있는 두 자리 수는 12, 13, 14, 21, 23, 24, 31, 32, 34, 41, 42, 43입니다. 나누는 수가 4이므로 만들 수 있는 나눗셈식은 $12 \div 4 = 3$, $24 \div 4 = 6$, $32 \div 4 = 8$입니다.
$\Rightarrow 8 > 6 > 3$이므로 가장 큰 몫은 8입니다.

4-2 수 카드 4장 중에서 2장을 골라 모두 한 번씩만 사용하여 다음과 같은 나눗셈을 만들었습니다. 이때 몫이 가장 작은 한 자리 수인 나눗셈의 계산 결과를 구해 보세요.

0 3 4 5 → $\square\square \div 6$

(5)

✦ 만들 수 있는 두 자리 수는 30, 34, 35, 40, 43, 45, 50, 53, 54입니다. 나누는 수가 6이므로 만들 수 있는 나눗셈식은 $30 \div 6 = 5$, $54 \div 6 = 9$입니다. $\Rightarrow 5 < 9$이므로 가장 작은 몫은 5입니다.

3 교과서 실력 다지기

정답과 풀이 p.7

★ 어떤 수 구하기

5 어떤 수를 3으로 나누었더니 몫이 8이 되었습니다. 어떤 수를 구해 보세요.

답 **24**

개념 피드백
• 나눗셈식에서 어떤 수를 구하는 순서
① 어떤 수를 □라 하고 나눗셈식을 세웁니다.
② 곱셈과 나눗셈의 관계를 이용하여 어떤 수를 구합니다.

❖ 어떤 수를 □라 하면 □÷3=8입니다. ➔ 3×8=□, □=24

5-1 어떤 수를 6으로 나누었더니 몫이 9가 되었습니다. 어떤 수를 구해 보세요.

(**54**)

❖ 어떤 수를 □라 하면 □÷6=9입니다. ➔ 6×9=□, □=54

5-2 14를 어떤 수로 나누었더니 몫이 2가 되었습니다. 어떤 수를 구해 보세요.

(**7**)

❖ 어떤 수를 □라 하면 14÷□=2입니다. ➔ □×2=14, □=7

5-3 □ 안에 알맞은 수를 써넣으세요.

(1) **20** ÷4=5   (2) 72÷ **9** =8

❖ (1) □÷4=5 ➔ 4×5=□, □=20
(2) 72÷□=8 ➔ □×8=72, □=9

★ 도형에서 나눗셈의 활용

6 길이가 24 cm인 철사를 겹치지 않게 사용하여 세 변의 길이가 모두 같은 삼각형을 1개 만들었습니다. 만든 삼각형 중 가장 큰 삼각형의 한 변의 길이는 몇 cm인지 구해 보세요.

답 **8 cm**

개념 피드백
• 평면도형의 변의 수
삼각형: 3개, 사각형: 4개, 오각형: 5개, 육각형: 6개

❖ 삼각형의 변의 수: 3개
만든 삼각형의 세 변의 길이가 모두 같으므로 한 변의 길이는 24÷3=8 (cm)입니다.

6-1 길이가 32 cm인 철사를 겹치지 않게 사용하여 정사각형을 1개 만들었습니다. 만든 정사각형 중 가장 큰 정사각형의 한 변의 길이는 몇 cm인지 구해 보세요.

(**8 cm**)

❖ 정사각형의 변의 수: 4개
정사각형은 네 변의 길이가 모두 같으므로 한 변의 길이는 32÷4=8 (cm)입니다.

6-2 그림과 같은 종이를 잘라 한 변의 길이가 3 cm인 정사각형을 몇 개까지 만들 수 있는지 구해 보세요.

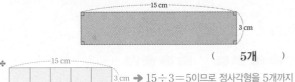

(**5개**)

❖ 15÷3=5이므로 정사각형을 5개까지 만들 수 있습니다.

1 주 교과서

Test 교과서 서술형 연습

정답과 풀이 p.7

1 진우는 과수원에서 귤을 54개 땄습니다. 그중에서 9개를 형에게 주고, 남은 귤을 한 봉지에 9개씩 담으려면 봉지는 몇 장 필요한지 구해 보세요.

✏ 구하려는 것, 주어진 것에 선을 그어 봅니다.

해결하기 (형에게 주고 남은 귤의 수)=(처음 귤의 수)-(형에게 준 귤의 수)
=**54**-**9**=**45**(개)
➔ (필요한 봉지 수)=(형에게 주고 남은 귤의 수)÷(한 봉지에 담는 귤의 수)
=**45**÷**9**=**5**(장)

답 구하기 **5장**

2 헤미는 초콜릿을 30개 가지고 있습니다. 그중에서 2개를 동생에게 주고, 남은 초콜릿을 한 봉지에 4개씩 담으려면 봉지는 몇 장 필요한지 구해 보세요. (주어진 것)

✏ 구하려는 것, 주어진 것에 선을 그어 봅니다.

해결하기 예 (동생에게 주고 남은 초콜릿 수)
=(처음 초콜릿 수)-(동생에게 준 초콜릿 수)
=30-2=28(개)
➔ (필요한 봉지 수)=(동생에게 주고 남은 초콜릿 수)
÷(한 봉지에 담는 초콜릿 수)
=28÷4=7(장)   **7장**

3 멜론이 한 줄에 8통씩 3줄로 놓여 있습니다. 이 멜론을 한 명에게 4통씩 주면 몇 명에게 나누어 줄 수 있는지 구해 보세요.

✏ 구하려는 것, 주어진 것에 선을 그어 봅니다.

해결하기 멜론이 한 줄에 8통씩 3줄이므로 모두 8×3=**24**(통)입니다.
이 멜론을 한 명에게 4통씩 주면 **24**÷4=**6**(명)에게 나누어 줄 수 있습니다.

답 구하기 **6명**

4 강당에 학생들이 한 줄에 6명씩 6줄로 서 있습니다. 이 학생들을 한 줄에 4명씩 다시 세우면 몇 줄이 되는지 구해 보세요. 주어진 것

✏ 구하려는 것, 주어진 것에 선을 그어 봅니다.

해결하기 예 학생들이 한 줄에 6명씩 6줄이므로 모두 6×6=36(명)입니다.
이 학생들을 한 줄에 4명씩 다시 세우면 36÷4=9(줄)이 됩니다.

답 구하기 **9줄**

1 주 교과서

PLAY 사고력 개념 스토리 나누어 담기

간식과 주스 재료를 종류별로 똑같이 나누어 담으려고 합니다.
주어진 봉지와 컵에 붙임딱지를 알맞게 붙여서 알아보세요.

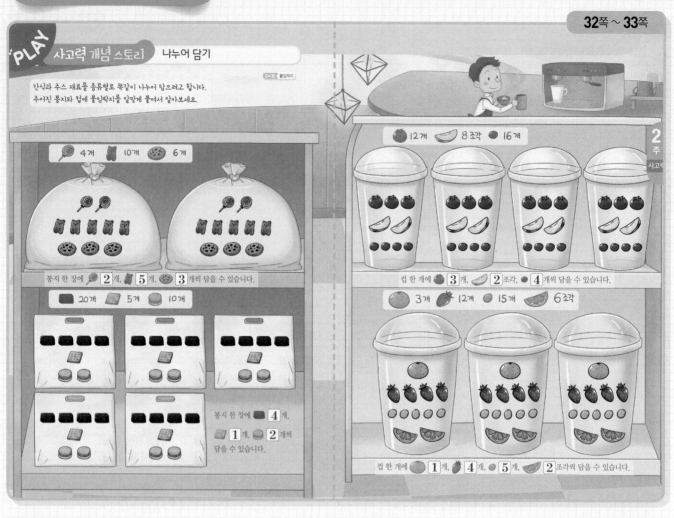

PLAY 사고력 개념 스토리 남김없이 포장하기

공장에서 만든 제품을 상자의 각 칸에 똑같이 나누어 담아 포장하려고 합니다. 남김없이 담을 수 있는 상자 붙임딱지를 찾아 붙이고, □ 안에 알맞은 수를 써넣으세요. (단, 상자의 각 칸에는 제품을 9개까지만 담을 수 있고 각 상자의 칸수는 2개부터 7개까지 있습니다.)

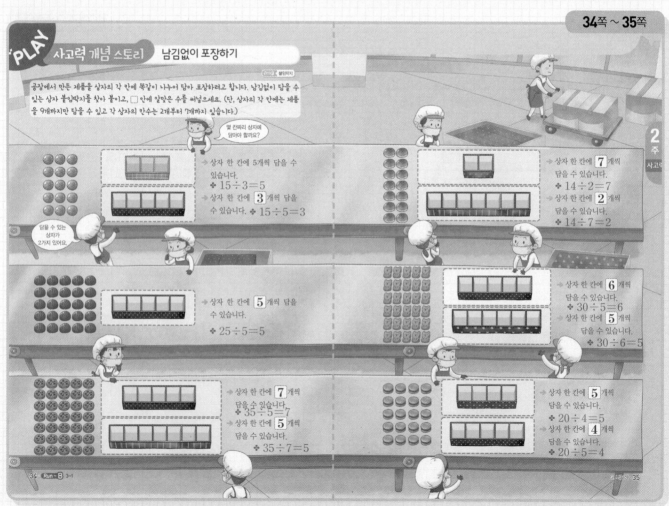

1단계 교과 사고력 잡기

정답과 풀이 p.9

1 길이가 20 m인 도로의 한쪽에 처음부터 끝까지 4 m 간격으로 나무를 심으려고 합니다. 필요한 나무는 모두 몇 그루인지 구해 보세요. (단, 나무의 굵기는 생각하지 않습니다.) [준비하기] 붙임딱지

— 20 m —

❶ 도로의 처음에 나무를 1그루 심고 4 m 간격으로 점을 찍었습니다. 나무를 더 심어야 할 곳에 나무 붙임딱지를 붙여 보세요.

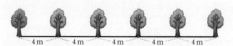

4 m   4 m   4 m   4 m   4 m

❖ 4 m 간격으로 찍은 점에 나무 붙임딱지를 붙입니다.

❷ 위의 ❶에서 나무 붙임딱지를 몇 개 붙였는지 써 보세요.

(**5개**   )

❖ 4 m 간격으로 나무 붙임딱지를 붙였으므로 20÷4＝5(개)입니다.

❸ 필요한 나무는 모두 몇 그루인지 구해 보세요.

(**6그루**   )

❖ 도로의 처음에 심은 나무가 1그루 더 있으므로 필요한 나무는 모두 5＋1＝6(그루)입니다.

---

2 오징어 1축은 오징어 20마리이고, 굴비 1두름은 굴비 20마리입니다. 오징어 2축을 사서 한 봉지에 8마리씩 담고, 굴비 2두름을 사서 한 봉지에 5마리씩 각각 담으려면 필요한 봉지는 모두 몇 장인지 구해 보세요.

오징어 1축   굴비 1두름

❶ 오징어 2축을 한 봉지에 8마리씩 담으려면 필요한 봉지는 몇 장일까요?

(**5장**   )

❖ 오징어 2축: 20＋20＝40(마리)
➡ 40÷8＝5이므로 필요한 봉지는 5장입니다.

❷ 굴비 2두름을 한 봉지에 5마리씩 담으려면 필요한 봉지는 몇 장일까요?

(**8장**   )

❖ 굴비 2두름: 20＋20＝40(마리)
➡ 40÷5＝8이므로 필요한 봉지는 8장입니다.

❸ 오징어와 굴비를 담는 데 필요한 봉지는 모두 몇 장인지 구해 보세요.

(**13장**   )

❖ 5＋8＝13(장)

1단계 교과 사고력 잡기

정답과 풀이 p.9

3 어느 목장에 있는 양과 염소의 다리를 세어 보니 모두 36개였습니다. 양이 염소보다 1마리 더 많을 때 양과 염소는 각각 몇 마리인지 구해 보세요. (단, 양과 염소 한 마리의 다리는 각각 4개씩입니다.) [준비하기] 붙임딱지

양 붙임딱지를 붙이세요.   염소 붙임딱지를 붙이세요.

❶ 양과 염소는 모두 몇 마리일까요?

(**9마리**   )

❖ 양과 염소 한 마리의 다리는 각각 4개씩이므로 양과 염소는 모두 36÷4＝9(마리)입니다.

❷ 양이 염소보다 1마리 더 많을 때 양과 염소는 각각 몇 마리인지 구해 보세요.

양 (**5마리**   ), 염소 (**4마리**   )

❖ 9마리를 1마리 차이가 나도록 가르면 5마리와 4마리입니다.
➡ 양이 염소보다 1마리 더 많아야 하므로 양이 5마리, 염소가 4마리입니다.

❸ 울타리 안에 양과 염소 붙임딱지를 붙여 보세요.

---

4 가은이와 영진이가 사탕 21개를 나누어 가지려고 합니다. 가은이가 영진이보다 사탕 3개를 더 많이 가지려면 영진이는 사탕을 몇 개 가지면 되는지 구해 보세요.

사탕 21개를 나누어 갖자.   네가 나보다 3개 더 많이 가지려면 나는 몇 개를 가져야 할까?

가은   영진

❶ ☐ 안에 알맞은 수를 써넣으세요.

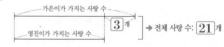

가은이가 가지는 사탕 수
영진이가 가지는 사탕 수   [3]개 ➡ 전체 사탕 수: [21]개

❷ 전체 사탕 수에서 3개를 빼면 남은 사탕 수는 영진이가 가지는 사탕 수의 몇 배가 될까요? (위 ❶의 그림을 보고 답하세요.)

(**2배**   )

❸ 영진이가 가지는 사탕은 몇 개인지 구해 보세요.

(**9개**   )

❖ 21－3＝18이므로 영진이가 가지는 사탕 수의 2배는 18개입니다.
따라서 영진이가 가지는 사탕은 18÷2＝9(개)입니다.

②단계 교과 사고력 확장

정답과 풀이 p.10

1 위에 있는 수에서 선을 따라 아래로 내려가다 가로 선을 만나면 가로 선을 따라가는 방법으로 사다리타기를 합니다. 선을 따라가면서 만나는 나눗셈을 하여 빈칸에 마지막 계산 결과를 써넣으세요.

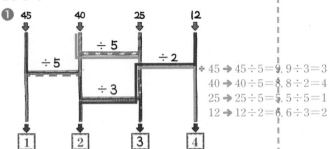

$45 \Rightarrow 45 \div 5 = 9, 9 \div 3 = 3$
$40 \Rightarrow 40 \div 5 = 8, 8 \div 2 = 4$
$25 \Rightarrow 25 \div 5 = 5, 5 \div 5 = 1$
$12 \Rightarrow 12 \div 2 = 6, 6 \div 3 = 2$

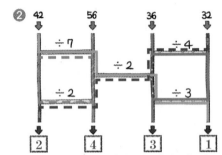

$42 \Rightarrow 42 \div 7 = 6, 6 \div 2 = 3, 3 \div 3 = 1$
$56 \Rightarrow 56 \div 7 = 8, 8 \div 2 = 4$
$36 \Rightarrow 36 \div 4 = 9, 9 \div 3 = 3$
$32 \Rightarrow 32 \div 4 = 8, 8 \div 2 = 4, 4 \div 2 = 2$

40 · Run - Ⓑ 3-1

2 보기를 보고 규칙을 찾아 빈 곳에 알맞은 수를 써넣으세요.

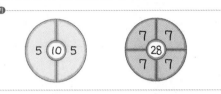

❖ 한가운데 수를 빈칸의 개수로 나눈 몫을 쓰는 규칙입니다.
➡ $10 \div 2 = 5, 28 \div 4 = 7$

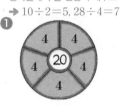

❶ ❖ $20 \div 5 = 4$
❷ ❖ $30 \div 6 = 5$

❸ ❖ $64 \div 8 = 8$
❹ ❖ $54 \div 9 = 6$

3. 나눗셈 · 41

---

②단계 교과 사고력 확장

정답과 풀이 p.10

3 같은 모양은 각각 같은 수를 나타냅니다. 주어진 식을 보고 ♥, ★, ♣가 나타내는 수를 각각 구해 보세요.

❶
$54 - ▲ - ▲ - ▲ - ▲ - ▲ - ▲ = 0$
$▲ \div 3 = ♥$

♥ = (3)

❖ $54 - \underbrace{▲ - ▲ - ▲ - ▲ - ▲ - ▲}_{6번} = 0$

➡ $54 \div ▲ = 6, ▲ \times 6 = 54, ▲ = 9$
$▲ \div 3 = ♥ \Rightarrow 9 \div 3 = ♥, ♥ = 3$

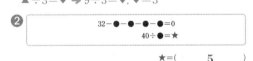
❷
$32 - ● - ● - ● - ● = 0$
$40 \div ● = ★$

★ = (5)

❖ $32 - \underbrace{● - ● - ● - ●}_{4번} = 0$

➡ $32 \div ● = 4, ● \times 4 = 32, ● = 8$
$40 \div ● = ★ \Rightarrow 40 \div 8 = ★, ★ = 5$

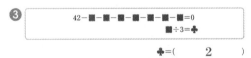
❸
$42 - ■ - ■ - ■ - ■ - ■ - ■ - ■ = 0$
$■ \div 3 = ♣$

♣ = (2)

❖ $42 - \underbrace{■ - ■ - ■ - ■ - ■ - ■ - ■}_{7번} = 0$

➡ $42 \div ■ = 7, ■ \times 7 = 42, ■ = 6$
$■ \div 3 = ♣ \Rightarrow 6 \div 3 = ♣, ♣ = 2$

42 · Run - Ⓑ 3-1

4 일정한 규칙으로 모양을 늘어놓았습니다. 28번째에 놓일 모양을 구해 보세요.

❶ 되풀이되는 모양을 모두 묶어 보세요.

❖ ■ ▲ ● ▲의 4개의 모양이 되풀이됩니다.
❷ 28번째에 놓일 모양은 (■ , ▲ , ●)입니다.

❖ $28 \div 4 = 7$이므로 되풀이되는 4개의 모양이 7번 되풀이됩니다.
따라서 28번째에 놓일 모양은 되풀이되는 4개의 모양 중 마지막 모양인 ▲입니다.

5 일정한 규칙으로 모양을 늘어놓았습니다. 24번째에 놓일 모양을 구해 보세요.

❖ ● ● ■의 3개의 모양이 되풀이됩니다. (■)
$24 \div 3 = 8$이므로 되풀이되는 3개의 모양이 8번 되풀이됩니다.
따라서 24번째에 놓일 모양은 되풀이되는 3개의 모양 중 마지막 모양인 ■입니다.

6 일정한 규칙으로 숫자를 늘어놓았습니다. 40번째에 놓일 숫자를 구해 보세요.

1 2 3 4 5 1 2 3 4 5 1 2 3 4 5 ……

(5)

❖ 1 2 3 4 5의 5개의 숫자가 되풀이됩니다.
$40 \div 5 = 8$이므로 되풀이되는 5개의 숫자가 8번 되풀이됩니다.
따라서 40번째에 놓일 숫자는 되풀이되는 5개의 숫자 중 마지막 숫자인 5입니다.

3. 나눗셈 · 43

③ 단계 교과 사고력 완성

정답과 풀이 p.11

평가 영역 ☑개념 이해력 ☐개념 응용력 ☐창의력 ☐문제 해결력

1 만두 16개를 똑같이 나누어 먹으려고 합니다. 사람 수에 따라 먹을 수 있는 만두의 수를 구해 보세요.

2명이 먹을 때: 한 명이 **8**개씩 먹을 수 있습니다.

4명이 먹을 때: 한 명이 **4**개씩 먹을 수 있습니다.

8명이 먹을 때: 한 명이 **2**개씩 먹을 수 있습니다.

❖ 2명이 먹을 때: 한 명이 $16 \div 2 = 8$(개)씩 먹을 수 있습니다.
4명이 먹을 때: 한 명이 $16 \div 4 = 4$(개)씩 먹을 수 있습니다.
8명이 먹을 때: 한 명이 $16 \div 8 = 2$(개)씩 먹을 수 있습니다.

평가 영역 ☐개념 이해력 ☑개념 응용력 ☐창의력 ☐문제 해결력

2 남김없이 똑같이 나누어 가질 수 있는 경우를 말한 친구는 누구일까요?

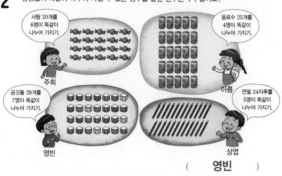

사탕 20개를 6명이 똑같이 나누어 가지기. 주희

음료수 25개를 4명이 똑같이 나누어 가지기. 아름

공깃돌 28개를 7명이 똑같이 나누어 가지기. 영빈

연필 24자루를 5명이 똑같이 나누어 가지기. 상엽

(**영빈**)

❖ 주희: 한 명이 사탕을 3개씩 가지고 2개가 남습니다.
아름: 한 명이 음료수를 6개씩 가지고 1개가 남습니다.
영빈: $28 \div 7 = 4$이므로 공깃돌 28개를 7명이 똑같이 나누면 한 명이 4개씩 가질 수 있습니다.
상엽: 한 명이 연필을 4자루씩 가지고 4자루가 남습니다.

평가 영역 ☐개념 이해력 ☐개념 응용력 ☐창의력 ☑문제 해결력

3 다음 직사각형 모양의 종이에 한 변의 길이가 5 cm인 정사각형을 겹치지 않게 빈틈없이 그리면 몇 개까지 그릴 수 있는지 구해 보세요.

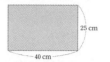

(**40개**)

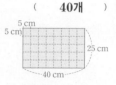

❖ 정사각형을 가로에 $40 \div 5 = 8$(개) 그릴 수 있고, 세로에 $25 \div 5 = 5$(개) 그릴 수 있습니다.
그릴 수 있는 정사각형은 한 줄에 8개씩 5줄이므로 모두 $8 \times 5 = 40$(개)입니다.

평가 영역 ☐개념 이해력 ☐개념 응용력 ☑창의력 ☐문제 해결력

4 토끼 4마리가 하루에 당근 8개를 먹습니다. 모든 토끼가 매일 똑같은 수의 당근을 먹는다면 토끼 6마리가 당근 36개를 먹는 데 며칠이 걸리는지 구해 보세요.

(**3일**)

❖ (토끼 한 마리가 하루에 먹는 당근의 수)=$8 \div 4 = 2$(개)
(토끼 한 마리가 먹어야 하는 당근의 수)=$36 \div 6 = 6$(개)
(걸리는 날수)=(토끼 한 마리가 먹어야 하는 당근의 수)
÷(토끼 한 마리가 하루에 먹는 당근의 수)
=$6 \div 2 = 3$(일)

Test 종합평가   3. 나눗셈

맞은 개수

정답과 풀이 p.11

1 꽃 20송이를 꽃병 4개에 똑같이 나누어 꽂으려고 합니다. 꽃병 한 개에 꽃을 몇 송이씩 꽂을 수 있는지 구해 보세요.

꽃병 한 개에 꽃을 **5**송이씩 꽂을 수 있습니다.

2 뺄셈식을 나눗셈식으로 나타내어 보세요.

(1) $12-4-4-4=0$ ➡ **12**÷**4**=**3**

❖ 12에서 4를 3번 빼면 0이 됩니다. ➡ $12 \div 4 = 3$

(2) $42-7-7-7-7-7-7=0$ ➡ **42**÷**7**=**6**

❖ 42에서 7을 6번 빼면 0이 됩니다. ➡ $42 \div 7 = 6$

3 다음 나눗셈식을 보고 설명한 것 중 옳지 않은 것을 찾아 기호를 써 보세요.

$40 \div 8 = 5$

㉠ 나누어지는 수는 40이고 나누는 수는 8입니다.
㉡ 몫은 5입니다.
㉢ 40을 8씩 묶으면 5묶음이 됩니다.
㉣ $40-8-8-8-8=5$로 나타낼 수 있습니다.

(**㉣**)

❖ ㉣ 40에서 8을 5번 빼면 0이 됩니다. ➡ $40-8-8-8-8-8=0$

---

4 $63 \div 9$의 몫을 구할 때 필요한 곱셈구구는 어느 것인지 찾아 기호를 써 보세요.

㉠ 3의 단 곱셈구구   ㉡ 6의 단 곱셈구구
㉢ 8의 단 곱셈구구   ㉣ 9의 단 곱셈구구

❖ 나눗셈의 몫을 구할 때에는 나누는 수의 단 곱셈구구를 (**㉣**) 이용합니다. $63 \div 9$에서 나누는 수는 9이므로 9의 단 곱셈구구를 이용하여 나눗셈을 합니다. $9 \times$ ⑦ $= 63$ ➡ $63 \div 9 =$ ⑦

5 관계있는 것끼리 선으로 이어 보세요.

나눗셈식	곱셈식	몫
$40 \div 5 = \square$	$8 \times 3 = 24$	5
$24 \div 8 = \square$	$5 \times 8 = 40$	8
$15 \div 3 = \square$	$3 \times 5 = 15$	3

❖ 나눗셈의 몫을 곱셈식으로 구합니다. $5 \times 8 = 40$ $8 \times 3 = 24$ $3 \times 5 = 15$
$40 \div 5 = 8$ $24 \div 8 = 3$ $15 \div 3 = 5$

6 그림에 알맞은 곱셈식과 나눗셈식을 만들어 보세요.

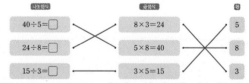

곱셈식 **3**×**7**=**21**, **7**×**3**=**21**

나눗셈식 **21**÷**3**=**7**, **21**÷**7**=**3**

Test 종합평가 3. 나눗셈

정답과 풀이 p.12

7 빈칸에 알맞은 수를 써넣으세요.

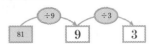

❖ $81 \div 9 = 9$, $9 \div 3 = 3$

8 가장 큰 수를 가장 작은 수로 나눈 몫을 구해 보세요.

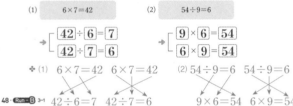

| 27 | 3 | 9 |

(**9**)

❖ $27 > 9 > 3$이므로 가장 큰 수 27을 가장 작은 수 3으로 나눕니다. ➜ $27 \div 3 = 9$

9 몫의 크기를 비교하여 ○ 안에 >, =, <를 알맞게 써넣으세요.

(1) $16 \div 2$ ⊘ $28 \div 4$

❖ $16 \div 2 = 8$, $28 \div 4 = 7$ ➜ $8 > 7$

(2) $24 \div 6$ ⊘ $40 \div 8$

❖ $24 \div 6 = 4$, $40 \div 8 = 5$ ➜ $4 < 5$

10 곱셈식을 나눗셈식으로, 나눗셈식을 곱셈식으로 나타내어 보세요.

(1) $6 \times 7 = 42$

➜ $42 \div 6 = 7$
$42 \div 7 = 6$

(2) $54 \div 9 = 6$

➜ $9 \times 6 = 54$
$6 \times 9 = 54$

❖ (1) $6 \times 7 = 42$ $6 \times 7 = 42$ (2) $54 \div 9 = 6$ $54 \div 9 = 6$

$42 \div 6 = 7$ $42 \div 7 = 6$ $9 \times 6 = 54$ $6 \times 9 = 54$

11 사탕 28개를 한 명에게 4개씩 주려고 합니다. 몇 명에게 나누어 줄 수 있는지 두 가지 방법으로 해결해 보세요.

뺄셈으로 해결하기

⑤ $28 - 4 - 4 - 4 - 4 - 4 - 4 - 4 = 0$

나눗셈으로 해결하기

⑤ $28 \div 4 = 7$

⑥ **7명**

12 같은 모양은 같은 수를 나타냅니다. 주어진 식을 보고 ♥에 알맞은 수를 구해 보세요.

$35 - ★ - ★ - ★ - ★ - ★ = 0$
$42 \div ★ = ♥$

❖ $35 \underbrace{- ★ - ★ - ★ - ★ - ★}_{5번} = 0$ ♥ = (**6**)

➜ $35 \div ★ = 5$, $★ \times 5 = 35$, $★ = 7$
$42 \div ★ = ♥$ ➜ $42 \div 7 = ♥$, $♥ = 6$

13 영훈이는 동화책 54쪽을 9일 동안 매일 똑같이 나누어 읽었습니다. 하루에 몇 쪽씩 읽었는지 나눗셈식을 쓰고 답을 구해 보세요.

⑤ $54 \div 9 = 6$

⑥ **6쪽**

❖ (하루에 읽은 쪽수) = (전체 쪽수) ÷ (동화책을 읽은 날수)
$= 54 \div 9 = 6(쪽)$

Test 종합평가 3. 나눗셈

정답과 풀이 p.12

14 정사각형 모양 꽃밭의 네 변의 길이의 합은 28 m입니다. 꽃밭의 한 변의 길이는 몇 m인지 구해 보세요.

(**7 m**)

❖ 정사각형은 네 변의 길이가 모두 같습니다.
➜ (한 변의 길이) = $28 \div 4 = 7$ (m)

15 길이가 63 m인 도로의 한쪽에 처음부터 끝까지 9 m 간격으로 가로등을 세우려고 합니다. 필요한 가로등은 모두 몇 개인지 구해 보세요. (단, 가로등의 굵기는 생각하지 않습니다.)

(**8개**)

❖ 도로의 처음에 가로등을 1개 세우고, 9 m 간격으로 더 세워야 할 가로등은 $63 \div 9 = 7(개)$입니다.
따라서 필요한 가로등은 모두 $1 + 7 = 8(개)$입니다.

16 어느 과수원에서 오전에 딴 사과 24개와 오후에 딴 사과 32개를 상자에 똑같이 나누어 담아서 모두 포장하였더니 8상자였습니다. 한 상자에 사과를 몇 개씩 담았는지 구해 보세요.

(**7개**)

❖ (과수원에서 딴 사과의 수) = $24 + 32 = 56(개)$
(한 상자에 담은 사과의 수) = $56 \div 8 = 7(개)$

17 어떤 수를 6으로 나누었더니 몫이 4였습니다. 어떤 수를 8로 나눈 몫은 얼마인지 구해 보세요.

(**3**)

❖ 어떤 수를 □라 하면 □ ÷ 6 = 4이므로
$6 \times 4 = □$, □ = 24입니다.
따라서 어떤 수를 8로 나눈 몫은 $24 \div 8 = 3$입니다.

★**특강** 창의·융합 사고력

정답과 풀이 p.12

1 몫이 같은 나눗셈이 있는 방을 선으로 이어 보면서 미로를 탈출해 보세요.

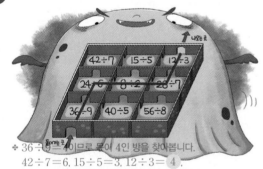

❖ $36 \div 9 = 4$이므로 몫이 4인 방을 찾아봅니다.
$42 \div 7 = 6$, $15 \div 5 = 3$, $12 \div 3 = 4$
$24 \div 6 = 4$, $8 \div 2 = 4$, $28 \div 7 = 4$
$36 \div 9 = 4$, $40 \div 5 = 8$, $56 \div 8 = 7$

❖ $18 \div 6 = 3$이므로 몫이 3인 방을 찾아봅니다.
$63 \div 7 = 9$, $28 \div 7 = 4$, $21 \div 3 = 7$, $12 \div 4 = 3$
$14 \div 7 = 2$, $6 \div 2 = 3$, $21 \div 7 = 3$, $24 \div 8 = 3$
$4 \div 1 = 4$, $15 \div 5 = 3$, $10 \div 2 = 5$, $30 \div 5 = 6$
$18 \div 6 = 3$, $27 \div 9 = 3$, $4 \div 2 = 2$, $24 \div 6 = 4$

4 곱셈

자동차의 수를 알아보아요

마트 주차장에 자동차들이 주차되어 있습니다. 주차장에 있는 자동차의 수는 모두 몇 대인지 이야기해 볼까요?

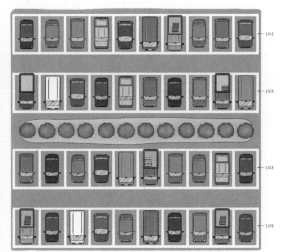

➡ 자동차는 한 줄에 **10** 대씩 **4** 줄이 있습니다.

$$\boxed{10}+\boxed{10}+\boxed{10}+\boxed{10}=\boxed{40}$$

🐷 왼쪽 자동차의 수만큼 수 모형에 ○표 하고, □ 안에 알맞은 수를 써넣으세요.

예)

➡ $10 \times \boxed{4} = \boxed{40}$

🐷 곰 인형이 전시되어 있습니다. 곰 인형은 모두 몇 개인지 구해 보세요.

➡ 곰 인형이 12개씩 5줄로 전시되어 있습니다.

덧셈식 $\boxed{12}+\boxed{12}+\boxed{12}+\boxed{12}+\boxed{12}=\boxed{60}$

곱셈식 $\boxed{12} \times \boxed{5} = \boxed{60}$

덧셈식이 이렇게 길어질 때는 계산 시간이 길어집니다. 그럼 이와 같이 덧셈식을 간단하게 할 수 있는 곱셈식에 대해 알아볼까요?

---

① 단계 교과서 개념 잡기

개념 확인 문제

정답과 풀이 p.13

개념 ① (몇십)×(몇) 구하기

• 20×3을 수 모형으로 알아보기

십 모형의 수인 6은 십의 자리 수가 되고 일 모형이 없으므로 일의 자리 수는 0이 됩니다.

➡ 십 모형: 2개 → 십 모형: 6개

$$20+20+20=60$$
$$십 \text{ 모형의 수}: 2 \times 3=6$$
➡ $20 \times 3=60$

• 20×3의 계산 방법 알아보기

(몇십)×(몇)은 (몇)×(몇)의 계산 결과 뒤에 0을 1개 붙입니다.

$$\underset{2 \times 3=6}{\overset{0은 \text{ 그대로}}{20 \times 3=60}}$$

20×3은 2×3의 계산 결과에 0을 붙이면 됩니다.
2×3=6이고 계산 결과 6에 0을 붙이면
20×3=60입니다.

$$\begin{array}{r} 2\ \boxed{0} \\ \times\ \ 3 \\ \hline 6\ \boxed{0} \end{array}$$

0은 그대로 내려서 쓰고
2×3=6이므로 0 앞에 6을 씁니다.

♣ (몇십)×(몇)의 계산 방법

$$\underset{■ \times ▲ = ★}{\overset{0은 \text{ 그대로}}{■0 \times ▲ = ★0}}$$

$$\begin{array}{r} ■\ 0 \\ \times\ \ ▲ \\ \hline ★\ 0 \end{array}$$

1-1 그림을 보고 □ 안에 알맞은 수를 써넣으세요.

$$10+10+10+10+10=\boxed{50}$$
➡ $10 \times \boxed{5} = \boxed{50}$

♣ 목걸이 한 개에 구슬이 10개씩 있으므로 $10 \times 5 = 50$입니다.

1-2 □ 안에 알맞은 수를 써넣으세요.

(1) $20 \times 4 = \boxed{8}\ \boxed{0}$
$\qquad 2 \times 4 = \boxed{8}$

(2) $10 \times 7 = \boxed{7}\ \boxed{0}$
$\qquad 1 \times 7 = \boxed{7}$

♣ $■ \times ▲ = ◆$일 때 $■0 \times ▲ = ◆0$입니다.

1-3 계산해 보세요.

(1)
$$\begin{array}{r} 3\ 0 \\ \times\ \ 3 \\ \hline 9\ 0 \end{array}$$

(2)
$$\begin{array}{r} 1\ 0 \\ \times\ \ 9 \\ \hline 9\ 0 \end{array}$$

(3)
$$\begin{array}{r} 3\ 0 \\ \times\ \ 2 \\ \hline 6\ 0 \end{array}$$

1-4 빈 곳에 알맞은 수를 써넣으세요.

♣
$$\begin{array}{r} 2\ 0 \\ \times\ \ 2 \\ \hline 4\ 0 \end{array}$$

3 주 교과서

1단계 교과서 개념 잡기

개념 2 올림이 없는 (몇십몇)×(몇) 구하기

• 12×3을 수 모형으로 알아보기

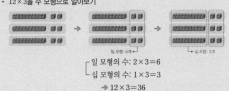

일 모형: 6개   십 모형: 3개

┌ 일 모형의 수: 2×3=6
└ 십 모형의 수: 1×3=3

➡ 12×3=36

• 12×3의 계산 방법 알아보기

2×3=6
12×3=36
1×3=3

2×3의 계산 결과인 6을 일의 자리에 쓰고, 1×3의 계산 결과인 3을 십의 자리에 씁니다.

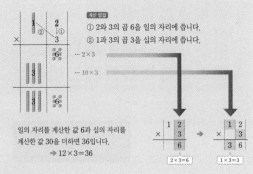

계산 방법
① 2와 3의 곱 6을 일의 자리에 씁니다.
② 1과 3의 곱 3을 십의 자리에 씁니다.

일의 자리를 계산한 값 6과 십의 자리를 계산한 값 30을 더하면 36입니다.
➡ 12×3=36

개념 확인 문제

정답과 풀이 p.14

2-1 □안에 알맞은 수를 써넣으세요.

(1) 44×2 ┌ 40×2=**80** ┐ **88**
         └ 4×2=**8** ┘

(2) 31×3 ┌ 30×3=**90** ┐ **93**
         └ 1×3=**3** ┘

❖ ■▲를 ■0과 ▲로 나누어 계산할 수 있습니다.

2-2 □안에 알맞은 수를 써넣으세요.

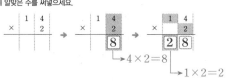

→ 4×2=8
→ 1×2=2

2-3 □안에 알맞은 수를 써넣으세요.

(1)
   2 3
 ×   2
 ─────
   6 … **3**×2
 4 0 … **20**×2
 ─────
 4 6

(2)
   1 3
 ×   3
 ─────
   9 … **3**×3
 3 0 … **10**×3
 ─────
 3 9

❖ (1) 일의 자리를 계산한 값 6과 십의 자리를 계산한 값 40을 더하여 46을 구합니다.
(2) 일의 자리를 계산한 값 9와 십의 자리를 계산한 값 30을 더하여 39를 구합니다.

2-4 계산해 보세요.

(1)
   4 2
 ×   2
 ─────
   8 4

(2)
   1 2
 ×   4
 ─────
   4 8

(3)
   3 4
 ×   2
 ─────
   6 8

1단계 교과서 개념 잡기

개념 3 십의 자리에서 올림이 있는 (몇십몇)×(몇) 구하기

• 64×2를 수 모형으로 알아보기

십 모형: 12개   일 모형: 8개

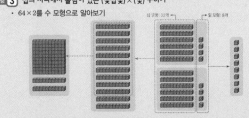

일 모형의 수는 4×2=8이고, 십 모형의 수는 6×2=12입니다. ➡ 64×2=128

• 64×2의 계산 방법 알아보기

4×2=8
64×2=128
6×2=12

4×2=8

6×2=12

개념 4 일의 자리에서 올림이 있는 (몇십몇)×(몇) 구하기

• 15×3을 수 모형으로 알아보기

십 모형: 3개   일 모형: 15개

일 모형의 수는 5×3=15이고, 십 모형의 수는 1×3=3입니다. ➡ 15×3=45

• 15×3의 계산 방법 알아보기

5×3=15
15×3=45
1×3=3, 3+1=4

5×3=15

1×3=3, 3+1=4

개념 확인 문제

정답과 풀이 p.14

3-1 □안에 알맞은 수를 써넣으세요.

(1)
        1×4=**4**
61×4=**244**
        6×4=**24**

(2)
        2×3=**6**
42×3=**126**
        4×3=**12**

3-2 계산해 보세요.

(1)
   4 3
 ×   3
 ─────
 1 2 9

(2)
   2 1
 ×   7
 ─────
 1 4 7

(3)
   5 3
 ×   2
 ─────
 1 0 6

4-1 □안에 알맞은 수를 써넣으세요.

(1)
   4 6
 ×   2
 ─────
 1 2 … **6**×2
 8 0 … 40×2
 ─────
 9 2

(2)
   1 8
 ×   5
 ─────
 4 0 … **8**×5
 5 0 … 10×5
 ─────
 9 0

4-2 □안에 알맞은 수를 써넣으세요.

(1)
   ① 2 4
 ×   3
 ───────
   7 2

(2)
   ② 1 7
 ×   4
 ───────
   6 8

(3)
   ① 2 5
 ×   2
 ───────
   5 0

❖ (1) 4×3=12이므로 십의 자리에 1을 올림하여 계산합니다.
(2) 7×4=28이므로 십의 자리에 2를 올림하여 계산합니다.
(3) 5×2=10이므로 십의 자리에 1을 올림하여 계산합니다.

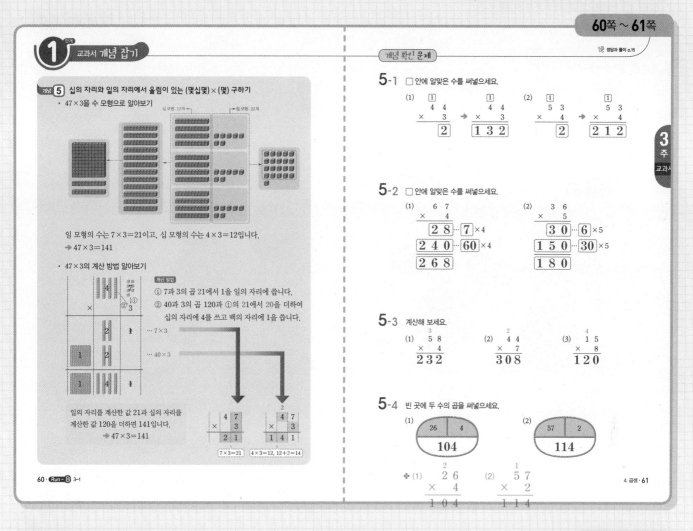

① 단계 교과서 개념 잡기

개념 ⑤ 십의 자리와 일의 자리에서 올림이 있는 (몇십몇)×(몇) 구하기

• 47×3을 수 모형으로 알아보기

일 모형의 수는 7×3=21이고, 십 모형의 수는 4×3=12입니다.
➡ 47×3=141

• 47×3의 계산 방법 알아보기

① 7과 3의 곱 21에서 1을 일의 자리에 씁니다.
② 40과 3의 곱 120과 ①의 21에서 20을 더하여 십의 자리에 4를 쓰고 백의 자리에 1을 씁니다.

⋯ 7×3
⋯ 40×3

일의 자리를 계산한 값 21과 십의 자리를 계산한 값 120을 더하면 141입니다.
➡ 47×3=141

$$\begin{array}{r} 4\;7 \\ \times \quad 3 \\ \hline 2\;1 \end{array} \quad \begin{array}{r} 4\;7 \\ \times \quad 3 \\ \hline 1\;4\;1 \end{array}$$

7×3=21   4×3=12, 12+2=14

개념 확인 문제

정답과 풀이 p.15

5-1 □ 안에 알맞은 수를 써넣으세요.

(1)
$$\begin{array}{r} ① \\ 4\;4 \\ \times \quad 3 \\ \hline 2 \end{array} \Rightarrow \begin{array}{r} ① \\ 4\;4 \\ \times \quad 3 \\ \hline 1\;3\;2 \end{array}$$

(2)
$$\begin{array}{r} ① \\ 5\;3 \\ \times \quad 4 \\ \hline 2 \end{array} \Rightarrow \begin{array}{r} ① \\ 5\;3 \\ \times \quad 4 \\ \hline 2\;1\;2 \end{array}$$

5-2 □ 안에 알맞은 수를 써넣으세요.

(1)
$$\begin{array}{r} 6\;7 \\ \times \quad 4 \\ \hline 2\;8 \quad \cdots 7\times4 \\ 2\;4\;0 \quad \cdots 60\times4 \\ \hline 2\;6\;8 \end{array}$$

(2)
$$\begin{array}{r} 3\;6 \\ \times \quad 5 \\ \hline 3\;0 \quad \cdots 6\times5 \\ 1\;5\;0 \quad \cdots 30\times5 \\ \hline 1\;8\;0 \end{array}$$

5-3 계산해 보세요.

(1)
$$\begin{array}{r} 3 \\ 5\;8 \\ \times \quad 4 \\ \hline 2\;3\;2 \end{array}$$

(2)
$$\begin{array}{r} 2 \\ 4\;4 \\ \times \quad 7 \\ \hline 3\;0\;8 \end{array}$$

(3)
$$\begin{array}{r} 4 \\ 1\;5 \\ \times \quad 8 \\ \hline 1\;2\;0 \end{array}$$

5-4 빈 곳에 두 수의 곱을 써넣으세요.

(1)
26	4
104	

(2)
57	2
114	

✦ (1)
$$\begin{array}{r} 2 \\ 2\;6 \\ \times \quad 4 \\ \hline 1\;0\;4 \end{array}$$

(2)
$$\begin{array}{r} 1 \\ 5\;7 \\ \times \quad 2 \\ \hline 1\;1\;4 \end{array}$$

PLAY 교과서 개념 스토리   제품 진열하기

알맞은 수의 제품을 찾아 진열하려고 합니다. 알맞은 붙임딱지를 찾아 붙여 보세요.

60   48   62
✦ 20×3=60   ✦ 12×4=48   ✦ 31×2=62

80   90
✦ 40×2=80   ✦ 30×3=90

28   99
✦ 14×2=28   ✦ 33×3=99

50   204
✦ 10×5=50   ✦ 51×4=204

120   40   216
✦ 60×2=120   ✦ 20×2=40   ✦ 72×3=216

66   88   30
✦ 22×3=66   ✦ 11×8=88   ✦ 10×3=30

166   208
✦ 83×2=166   ✦ 52×4=208

PLAY 교과서 개념 스토리 **날아가는 풍선 잡기**

풍선이 날아가지 못하도록 알맞은 계산 결과가 쓰인 돌을 매달아 보세요.

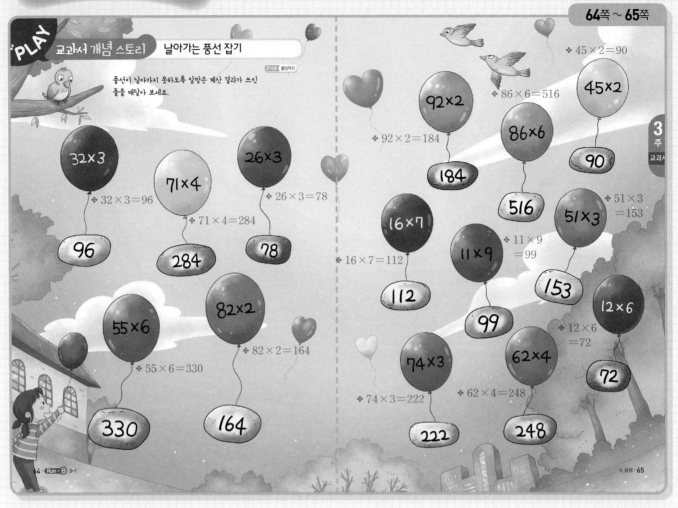

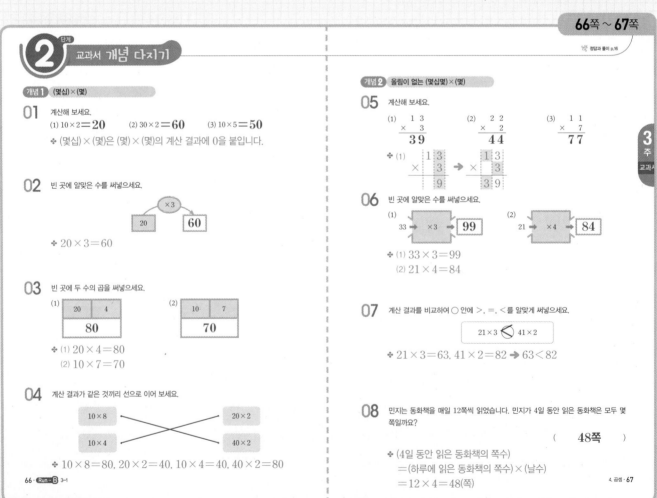

🔖 정답과 풀이 p.17

개념3 십의 자리에서 올림이 있는 (몇십몇)×(몇)

09 계산해 보세요.

(1)
```
  5 3
×   2
─────
1 0 6
```
(2)
```
  7 1
×   4
─────
2 8 4
```
(3)
```
  9 2
×   2
─────
1 8 4
```

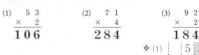

✤ (1)
```
    5 3          5 3
×   2     →    ×   2
─────          ─────
    6          1 0 6
```

10 계산 결과가 다른 하나에 ○표 하세요.

[32×4   2(1)8   64×2]

✤ 32×4=128, 21×8=168, 64×2=128

11 빈칸에 알맞은 수를 써넣으세요.

⊗		
52	4	208
3	41	123
156	164	

✤ 52×4=208, 41×3=123,
52×3=156, 41×4=164

12 쿠키가 한 상자에 42개씩 4상자 있습니다. 상자에 들어 있는 쿠키는 모두 몇 개인지 구해 보세요.

(**168개**)

✤ 쿠키가 한 상자에 42개씩 들어 있으므로 4상자에는 쿠키가 42×4=168(개) 들어 있습니다.

개념4 일의 자리에서 올림이 있는 (몇십몇)×(몇)

✤ (1)
```
  2 8          2 8
×   3     →    ×   3
─────          ─────
  2 4          8 4
```

13 계산해 보세요.

(1)
```
  2
  2 8
×   3
─────
  8 4
```
(2)
```
  4
  1 9
×   5
─────
  9 5
```
(3)
```
  1
  3 6
×   2
─────
  7 2
```

14 다음 계산에서 잘못된 부분을 찾아 바르게 고쳐 계산해 보세요.

```
  3 5            1
×   2     →    3 5
─────          ×   2
  6 0          ─────
                7 0
```

✤ 일의 자리에서 올림한 수를 십의 자리의 계산에 더해야 합니다.

15 보기와 같은 방법으로 계산해 보세요.

보기
```
  1 2
×   6
─────
  1 2
  7 2
```

```
  1 7
×   5
─────
  3 5
  5 0
  8 5
```

✤ 일의 자리 계산: 7×5=35
십의 자리 계산: 10×5=50
➡ 35+50=85

16 진석이네 농장에는 돼지가 19마리 있습니다. 돼지의 다리 수는 모두 몇 개인지 구해 보세요.

(**76개**)

✤ 돼지 한 마리의 다리는 4개이므로 돼지 19마리의 다리 수는 19×4=76(개)입니다.

3 주
교과서

 교과서 **개념 다지기**

🔖 정답과 풀이 p.17

개념5 십의 자리와 일의 자리에서 올림이 있는 (몇십몇)×(몇)

17 계산해 보세요.

(1)
```
  5
  1 8
×   7
─────
1 2 6
```
(2)
```
  1
  3 3
×   6
─────
1 9 8
```
(3)
```
  1
  9 2
×   5
─────
4 6 0
```

✤ (1)
```
    1 8          5
×   7      →    1 8
─────          ×   7
  5 6          ─────
               1 2 6
```

18 빈 곳에 알맞은 수를 써넣으세요.

(1)
```
  88
  ↓
[ ×2 ]
  ↓
176
```
(2)
```
  36
  ↓
[ ×4 ]
  ↓
144
```

✤ (1) 88×2=176 (2) 36×4=144

19 계산 결과를 비교하여 ○ 안에 >, =, <를 알맞게 써넣으세요.

(1) 24×5 (>) 36×3

(2) 63×4 (>) 87×2

✤ (1) 24×5=120, 36×3=108 ➡ 120>108
(2) 63×4=252, 87×2=174 ➡ 252>174

20 빈 곳에 알맞은 수를 써넣으세요.

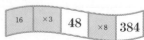

[16 | ×3 | 48 | ×8 | 384]

✤ 16×3=48, 48×8=384

---

21 가장 큰 수와 가장 작은 수의 곱을 구해 보세요.

[14   7   26   9]

(**182**)

✤ 26>14>9>7이므로 가장 큰 수는 26이고 가장 작은 수는 7입니다. ➡ 26×7=182

22 계산 결과가 150보다 큰 것을 찾아 기호를 써 보세요.

[㉠ 23×6   ㉡ 45×3   ㉢ 39×4]

(**㉢**)

✤ ㉠ 23×6=138, ㉡ 45×3=135, ㉢ 39×4=156
➡ 156>150이므로 ㉢입니다.

23 지효네 학교 3학년은 6개 반입니다. 한 반의 학생이 26명으로 모두 같을 때, 지효네 학교 3학년 학생은 모두 몇 명인지 구해 보세요.

(**156명**)

✤ (지효네 학교 3학년 학생 수)
=(한 반의 학생 수)×(반 수)
=26×6=156(명)

24 석호는 끈으로 겹치는 부분 없이 다음과 같은 정사각형을 한 개 만들었습니다. 사용한 끈의 길이는 몇 cm인지 구해 보세요.

55 cm

(**220 cm**)

✤ 정사각형은 네 변의 길이가 모두 같습니다.
➡ 55×4=220 (cm)

3 주
교과서

③ 단계 교과서 실력 다지기

정답과 풀이 p.18

★ 계산 결과의 크기 비교하기

1 계산 결과가 더 큰 것의 기호를 써 보세요.

| ㉠ | 2 5 × 3 | ㉡ | 1 7 × 4 |

답 _____㉠_____

개념 피드백 · 일의 자리에서 올림이 있는 (몇십몇)×(몇) 계산하기
① 일의 자리의 곱을 일의 자리에 쓰고, 십의 자리의 곱을 십의 자리에 씁니다.
② 일의 자리에서 올림한 수를 십의 자리 계산에 더합니다.

$$
\begin{array}{cc}
\text{㉠} & 2\ 5 \\
 & \times\quad 3 \\
\hline
 & 7\ 5
\end{array}
\qquad
\begin{array}{cc}
\text{㉡} & 1\ 7 \\
 & \times\quad 4 \\
\hline
 & 6\ 8
\end{array}
\rightarrow 75 > 68
$$

1-1 계산 결과가 가장 큰 것의 기호를 써 보세요.

| ㉠ 3 0 × 4 | ㉡ 4 8 × 3 | ㉢ 5 2 × 2 |

(㉡)

❖ ㉠ $30 \times 4 = 120$, ㉡ $48 \times 3 = 144$, ㉢ $52 \times 2 = 104$
➡ $144 > 120 > 104$이므로 계산 결과가 가장 큰 것은 ㉡입니다.

1-2 계산 결과가 작은 것부터 차례로 기호를 써 보세요.

| ㉠ 52×7 | ㉡ 46×9 | ㉢ 39×8 |

(㉢, ㉠, ㉡)

❖ ㉠ $52 \times 7 = 364$, ㉡ $46 \times 9 = 414$, ㉢ $39 \times 8 = 312$
➡ $312 < 364 < 414$이므로 ㉢, ㉠, ㉡입니다.

72 · Run - B · 3-1

★ 수의 크기를 비교하여 계산하기

2 가장 큰 수와 가장 작은 수의 곱을 구해 보세요.

| 42 19 7 38 |

답 _____294_____

개념 피드백 · 십의 자리와 일의 자리에서 올림이 있는 (몇십몇)×(몇) 계산하기
(몇십몇)×(몇)은 일의 자리, 십의 자리 순서로 계산하고, 올림한 수에 주의합니다.

❖ $42 > 38 > 19 > 7$이므로 가장 큰 수는 42, 가장 작은 수는 7입니다.
➡ $42 \times 7 = 294$

2-1 가장 큰 수와 가장 작은 수의 곱을 구해 보세요.

(**192**)

❖ $32 > 23 > 8 > 6$이므로 가장 큰 수는 32, 가장 작은 수는 6입니다.
➡ $32 \times 6 = 192$

2-2 정아가 가지고 있는 수 카드의 수 중에서 더 큰 수와 민재가 가지고 있는 수 카드의 수 중에서 더 작은 수의 곱을 구해 보세요.

(**275**)

❖ 정아가 가지고 있는 수 중에서 더 큰 수는 55이고, 민재가 가지고 있는 수 중에서 더 작은 수는 5입니다. ➡ $55 \times 5 = 275$

4. 곱셈 · 73

③ 단계 교과서 실력 다지기

정답과 풀이 p.18

★ □ 안에 알맞은 수 구하기

3 □ 안에 알맞은 수를 써넣으세요.

(1)
$$
\begin{array}{ccc}
 & \boxed{2} & 4 \\
\times & & 4 \\
\hline
 & 9 & 6
\end{array}
$$

(2)
$$
\begin{array}{ccc}
 & 2 & 7 \\
\times & & \boxed{2} \\
\hline
 & 5 & 4
\end{array}
$$

개념 피드백
$$
\begin{array}{c}
2\ 5 \\
\times\ \ 4 \\
\hline
1\ 0 \\
\end{array}
\rightarrow
\begin{array}{c}
2\ 5 \\
\times\ \ 4 \\
\hline
\ \ 0 \\
5\ 0 \\
\end{array}
$$
$5 \times 2 = 10$ $2 \times 2 = 4, 4 + 1 = 5$

❖ (1) 일의 자리의 계산 $4 \times 4 = 16$에서 올림한 수 1을 생각하면 $9 - 1 = 8$이므로 □$\times 4 = 8$ ➡ □$= 2$입니다.
(2) 일의 자리의 계산 $7 \times$□에서 일의 자리 숫자가 4가 되는 □를 찾으면 2입니다.

3-1 곱셈식에서 지워진 수를 구해 보세요.

$3 \times 2 = 6$

(**9**)

❖ 지워진 수를 □라 하면 □$\times 2 = 18$이므로 □$= 9$입니다.

3-2 □ 안에 알맞은 수를 써넣으세요.

$$
\begin{array}{ccc}
 & 7 & \boxed{1} \\
\times & & 4 \\
\hline
\boxed{2} & 8 & 4
\end{array}
$$

❖
$$
\begin{array}{ccc}
 & 7 & ㉠ \\
\times & & 4 \\
\hline
㉡ & 8 & 4
\end{array}
$$
㉠$\times 4$의 곱의 일의 자리 숫자가 4가 되는 경우는 ㉠이 1 또는 6일 때입니다.

· ㉠이 1일 때: $7 \times 4 =$㉡8 ➡ ㉡$= 2$
· ㉠이 6일 때: 올림한 수가 2이므로 $7 \times 4 =$㉡6입니다. (×)

74 · Run - B · 3-1

★ 바르게 계산한 값 구하기

4 어떤 수에 3을 곱해야 할 것을 잘못하여 2를 더했더니 32가 되었습니다. 바르게 계산한 값을 구해 보세요.

답 _____90_____

개념 피드백 · 바르게 계산한 값을 구하는 순서
① 잘못 계산한 식을 세웁니다.
② 잘못 계산한 식을 이용하여 어떤 수를 구합니다.
③ 어떤 수를 이용하여 바르게 계산합니다.

❖ 어떤 수를 □라 하면 □$+2 = 32$이므로 $32 - 2 =$□, □$= 30$입니다.
따라서 바르게 계산한 값은 $30 \times 3 = 90$입니다.

4-1 어떤 수에 9를 곱해야 할 것을 잘못하여 9로 나누었더니 몫이 4가 되었습니다. 바르게 계산한 값을 구해 보세요.

(**324**)

❖ 어떤 수를 □라 하면 □$\div 9 = 4$이므로 $4 \times 9 =$□, □$= 36$입니다.
따라서 바르게 계산한 값은 $36 \times 9 = 324$입니다.

4-2 어떤 수에 5를 곱해야 할 것을 잘못하여 5를 뺐더니 40이 되었습니다. 바르게 계산한 값을 구해 보세요.

(**225**)

❖ 어떤 수를 □라 하면 □$-5 = 40$이므로 $40 + 5 =$□, □$= 45$입니다.
따라서 바르게 계산한 값은 $45 \times 5 = 225$입니다.

4. 곱셈 · 75

③ 교과서 실력 다지기

정답과 풀이 p.19

★ □ 안에 들어갈 수 있는 수 구하기

5 1부터 9까지의 수 중에서 □ 안에 들어갈 수 있는 수를 모두 구해 보세요.

$$47 \times 2 < 19 \times \square$$

답 5, 6, 7, 8, 9

개념 피드백 >, <가 들어 있는 식은 □ 안에 주어진 수를 넣어 계산해 본 다음 조건에 알맞은 답을 구합니다.

❖ $47 \times 2 = 94$이므로 $94 < 19 \times \square$이어야 합니다.
$19 \times 4 = 76$, $19 \times 5 = 95$, $19 \times 6 = 114$, $19 \times 7 = 133$,
$19 \times 8 = 152$, $19 \times 9 = 171$이므로 □ 안에 들어갈 수 있는 수는
5, 6, 7, 8, 9입니다.

5-1 1부터 9까지의 수 중에서 □ 안에 들어갈 수 있는 수를 모두 구해 보세요.

$$20 \times 4 > 32 \times \square$$

(1, 2)

❖ $20 \times 4 = 80$이므로 $80 > 32 \times \square$이어야 합니다.
$32 \times 1 = 32$, $32 \times 2 = 64$, $32 \times 3 = 96$이므로 □ 안에
들어갈 수 있는 수는 1, 2입니다.

5-2 1부터 9까지의 수 중에서 □ 안에 들어갈 수 있는 수를 모두 구해 보세요.

$$59 \times \square > 45 \times 8$$

(7, 8, 9)

❖ $45 \times 8 = 360$이므로 $59 \times \square > 360$이어야 합니다.
$59 \times 6 = 354$, $59 \times 7 = 413$, $59 \times 8 = 472$, $59 \times 9 = 531$
이므로 □ 안에 들어갈 수 있는 수는 7, 8, 9입니다.

76 · Run-B 3-1

★ 수 카드로 곱셈식 만들기

6 다음 3장의 수 카드를 한 번씩만 사용하여 곱이 가장 큰 (몇십몇)×(몇)을 만들고 계산해 보세요.

1 4 6 ➔ 4 1 × 6 = 246

개념 피드백 ㉠>㉡>㉢일 때 곱이 가장 큰 (몇십몇)×(몇)은 ㉡㉢×㉠입니다.

❖ $6 > 4 > 1$이므로 곱이 가장 큰 (몇십몇)×(몇)은 41×6입니다.
➔ $41 \times 6 = 246$

6-1 다음 3장의 수 카드를 한 번씩만 사용하여 곱이 가장 작은 (몇십몇)×(몇)을 만들고 계산해 보세요.

2 5 8 ➔ 5 8 × 2 = 116

❖ $2 < 5 < 8$이므로 두 번 곱하는 한 자리 수에 가장 작은 수 2를 쓰고,
5를 두 자리 수의 십의 자리, 8을 일의 자리에 씁니다.
➔ $58 \times 2 = 116$

6-2 다음 3장의 수 카드를 한 번씩만 사용하여 곱이 가장 큰 (몇십몇)×(몇)과 곱이 가장 작은 (몇십몇)×(몇)을 만들고 계산해 보세요.

9 3 6

• 곱이 가장 큰 곱셈식: 6 3 × 9 = 567

• 곱이 가장 작은 곱셈식: 6 9 × 3 = 207

❖ • 곱이 가장 큰 곱셈식 ➔ 두 번 곱하는 한 자리 수에 가장 큰 수 9를 쓰고, 6을 두 자리 수의 십의 자리, 3을 일의 자리에 씁니다.
➔ $63 \times 9 = 567$
• 곱이 가장 작은 곱셈식 ➔ 두 번 곱하는 한 자리 수에 가장 작은 수 3을 쓰고, 6을 두 자리 수의 십의 자리, 9를 일의 자리에 씁니다. ➔ $69 \times 3 = 207$

4. 곱셈 · 77

Test 교과서 서술형 연습

정답과 풀이 p.19

1 승주는 9살입니다. 승주 오빠의 나이는 승주보다 3살 더 많고, 승주 아버지의 나이는 승주 오빠의 나이의 4배입니다. 승주 아버지의 나이는 몇 살인지 구해 보세요.

✏ 구하려는 것, 주어진 것에 선을 그어 봅니다.

해결하기 승주 오빠의 나이는 9 + 3 = 12 (살)입니다.

따라서 승주 아버지의 나이는 12 × 4 = 48 (살)입니다.

답 구하기 **48살**

2 정아는 8살입니다. 정아 언니의 나이는 정아 나이의 2배이고, 정아 어머니의 나이는 정아 언니의 나이의 3배입니다. 정아 어머니의 나이는 몇 살인지 구해 보세요.

주어진 것 ——— 구하려는 것

✏ 구하려는 것, 주어진 것에 선을 그어 봅니다.

해결하기 예 정아 언니의 나이는 $8 \times 2 = 16$(살)입니다.

따라서 정아 어머니의 나이는
$16 \times 3 = 48$(살)입니다.

답 구하기 **48살**

3 민지네 농장에는 염소 18마리와 닭 47마리가 있습니다. 민지네 농장에 있는 동물의 다리 수는 모두 몇 개인지 구해 보세요.

✏ 구하려는 것, 주어진 것에 선을 그어 봅니다.

해결하기 염소 한 마리의 다리는 4 개이므로 염소 18마리의 다리 수는

모두 18 × 4 = 72 개입니다.

닭 한 마리의 다리는 2 개이므로 닭 47마리의 다리 수는

모두 47 × 2 = 94 개입니다.

➔ 민지네 농장에 있는 동물의 다리 수는 모두

72 + 94 = 166 개입니다.

답 구하기 **166개**

4 공원 주차장에 승용차 25대와 바퀴가 2개인 오토바이 19대가 세워져 있습니다. 주차장에 있는 승용차와 오토바이의 바퀴 수는 모두 몇 개인지 구해 보세요. 주어진 것

구하려는 것

✏ 구하려는 것, 주어진 것에 선을 그어 봅니다.

해결하기 예 승용차 한 대의 바퀴는 4개이므로 승용차 25대의 바퀴 수는 모두 $25 \times 4 = 100$(개)입니다.
오토바이 한 대의 바퀴는 2개이므로 오토바이 19대의 바퀴 수는 모두 $19 \times 2 = 38$(개)입니다.
➔ 공원 주차장에 있는 승용차와 오토바이의 바퀴 수는 모두 $100 + 38 = 138$(개)입니다.

답 구하기 **138개**

78 · Run-B 3-1

4. 곱셈 · 79

정답과 풀이 · **19**

PLAY 사고력 개념 스토리   농장 체험

은호네 반 학생들이 농장 체험을 갔습니다. 팔토시에 쓰여진 두 수의 곱이 모자에 쓰여진 수가 되도록 붙임딱지를 붙여 보세요.

4주
사고력

172
43 × 4
❖ 43 × 4 = 172

48
3 × 16
❖ 16 × 3 = 48

74
37 × 2
❖ 37 × 2 = 74

58
29 × 2
❖ 29 × 2 = 58

96
6 × 16
❖ 16 × 6 = 96

88
2 × 44
❖ 44 × 2 = 88

168
42 × 4
❖ 42 × 4 = 168

153
51 × 3
❖ 51 × 3 = 153

104
4 × 26
❖ 26 × 4 = 104

392
7 × 56
❖ 56 × 7 = 392

306
6 × 51
❖ 51 × 6 = 306

95
19 × 5
❖ 19 × 5 = 95

84
3 × 28
❖ 28 × 3 = 84

102
6 × 17
❖ 17 × 6 = 102

66
33 × 2
❖ 33 × 2 = 66

72
18 × 4
❖ 18 × 4 = 72

PLAY 사고력 개념 스토리   막대 과자 완성하기

막대 과자에 초콜릿을 바르려고 합니다. 초콜릿을 바른 부분과 바르지 않은 부분의 곱이 같게 되도록 붙임딱지를 붙여 보세요.

초콜릿을 바른 막대 과자에 아몬드나 사탕을 묻히려고 합니다. 아몬드나 사탕을 묻힌 부분과 묻히지 않은 부분의 곱이 같게 되도록 붙임딱지를 붙여 보세요.

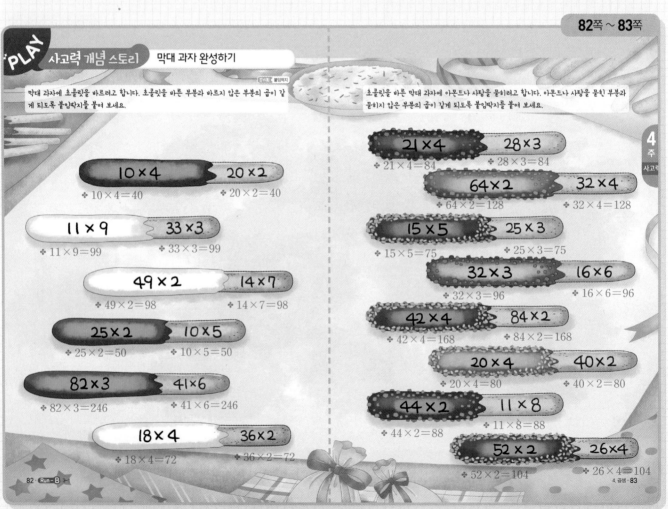

4주
사고력

10 × 4   20 × 2
❖ 10 × 4 = 40   ❖ 20 × 2 = 40

11 × 9   33 × 3
❖ 11 × 9 = 99   ❖ 33 × 3 = 99

49 × 2   14 × 7
❖ 49 × 2 = 98   ❖ 14 × 7 = 98

25 × 2   10 × 5
❖ 25 × 2 = 50   ❖ 10 × 5 = 50

82 × 3   41 × 6
❖ 82 × 3 = 246   ❖ 41 × 6 = 246

18 × 4   36 × 2
❖ 18 × 4 = 72   ❖ 36 × 2 = 72

21 × 4   28 × 3
❖ 21 × 4 = 84   ❖ 28 × 3 = 84

64 × 2   32 × 4
❖ 64 × 2 = 128   ❖ 32 × 4 = 128

15 × 5   25 × 3
❖ 15 × 5 = 75   ❖ 25 × 3 = 75

32 × 3   16 × 6
❖ 32 × 3 = 96   ❖ 16 × 6 = 96

42 × 4   84 × 2
❖ 42 × 4 = 168   ❖ 84 × 2 = 168

20 × 4   40 × 2
❖ 20 × 4 = 80   ❖ 40 × 2 = 80

44 × 2   11 × 8
❖ 44 × 2 = 88   ❖ 11 × 8 = 88

52 × 2   26 × 4
❖ 52 × 2 = 104   ❖ 26 × 4 = 104

① 단계 교과 사고력 잡기

1 수를 한자로 다음과 같이 쓰고 '26'과 '8'을 한자로 각각 '二十六'과 '八'로 씁니다. 다음 곱셈의 한자를 수로 나타낸 다음 계산해 보세요.

一	二	三	四	五
일(1)	이(2)	삼(3)	사(4)	오(5)
六	七	八	九	十
육(6)	칠(7)	팔(8)	구(9)	십(10)

三十五×七

❶ 三十五를 수로 나타내어 보세요.

(**35**   )

❖ 三 ➡ 3, 十 ➡ 10, 五 ➡ 5

❷ 七을 수로 나타내어 보세요.

(**7**   )

❸ 三十五×七을 계산해 보세요.

(**245**   )

❖ 35×7=245

---

2 여러 가지 물건을 세는 단위입니다. 오징어 5축, 굴비 4두름, 바늘 3쌈을 수가 큰 것부터 차례로 써 보세요.

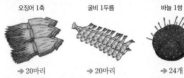

오징어 1축   굴비 1두름   바늘 1쌈

➡20마리   ➡20마리   ➡24개

❶ 오징어 5축은 오징어 몇 마리일까요?

(**100마리**   )

❖ 20×5=100(마리)

❷ 굴비 4두름은 굴비 몇 마리일까요?

(**80마리**   )

❖ 20×4=80(마리)

❸ 바늘 3쌈은 바늘 몇 개일까요?

(**72개**   )

❖ 24×3=72(개)

❹ 수가 큰 것부터 차례로 써 보세요.

(**오징어 5축, 굴비 4두름, 바늘 3쌈**   )

❖ 100>80>72

➡ 오징어 5축 > 굴비 4두름 > 바늘 3쌈

---

① 단계 교과 사고력 잡기

3 어떤 두 자리 수의 십의 자리 수와 일의 자리 수를 바꾼 다음 7을 곱하였더니 91이 되었습니다. 어떤 두 자리 수는 얼마인지 구해 보세요.

두 자리 수: ㉠㉡

↓

십의 자리 수와 일의 자리 수를 바꾼 수: ㉡㉠ ➡ ㉡ ㉠ × 7 / 9 1

❶ ㉠에 알맞은 수를 구해 보세요.

(**3**   )

❖ ㉠×7의 일의 자리 수가 1입니다. 3×7=21이므로 ㉠=3 입니다.

❷ ㉡에 알맞은 수를 구해 보세요.

(**1**   )

❖ ㉡ 3 (2 위) × 7 / 9 1 ㉡×7의 곱에 올림한 수 2를 더하면 9입니다. ➡ ㉡×7=7이므로 ㉡=1입니다.

❸ 어떤 두 자리 수를 구해 보세요.

(**31**   )

❖ ㉡㉠이 13이므로 ㉠㉡은 31입니다.

---

4 도로의 양쪽에 처음부터 끝까지 가로등 20개를 세웁니다. 가로등 사이의 간격이 11 m로 모두 같다면 도로의 길이는 몇 m인지 구해 보세요. (단, 가로등의 굵기는 생각하지 않습니다.)

❶ 도로의 한쪽에 세운 가로등은 몇 개일까요?

(**10개**   )

❖ 20=10+10이므로 한쪽에 세운 가로등은 10개입니다.

❷ 도로의 한쪽에 11 m인 간격은 몇 군데일까요?

(**9군데**   )

❖ 10-1=9(군데)

❸ 도로의 길이는 몇 m일까요?

(**99 m**   )

❖ 11×9=99 (m)

2 단계 교과 사고력 확장

✎ 정답과 풀이 p.22

1 보기와 같은 방법으로 주어진 식의 합을 구해 보세요.

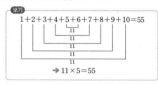

보기
$$1+2+3+4+5+6+7+8+9+10=55$$

$11 \times 5=55$

$$21+22+23+24+25+26+27+28+29+30$$

❶ 위의 식에서 남는 수가 없도록 합이 같은 두 수를 모두 짝지어 선으로 연결
해 보세요.

✚ $25+26=51, 24+27=51, 23+28=51, 22+29=51,$
$21+30=51$

❷ 위의 식을 곱셈식으로 나타내고 계산해 보세요.

$$\boxed{51} \times \boxed{5} = \boxed{255}$$

❸ □ 안에 알맞은 수를 써넣으세요.

$$21+22+23+24+25+26+27+28+29+30=\boxed{255}$$

88 · Run - **B** 3-1

2 보기에서 규칙을 찾아 빈 곳에 알맞은 수를 써넣으세요.

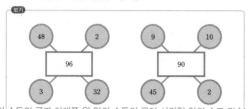

✿ 위쪽 원 안의 수들의 곱과 아래쪽 원 안의 수들의 곱이 사각형 안의 수로 같습니다.
$$48 \times 2=96, 32 \times 3=96 \ / \ 10 \times 9=90, 45 \times 2=90$$

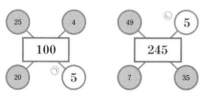

✿ $25 \times 4=100, 20 \times ㉠=100$ ✿ $35 \times 7=245, 49 \times ㉡=245$
    ➡ $㉠=5$ ➡ $㉡=5$

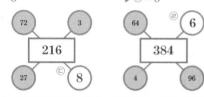

✿ $72 \times 3=216, 27 \times ㉢=216$ ✿ $96 \times 4=384, 64 \times ㉣=384$
    ➡ $㉢=8$ ➡ $㉣=6$

4. 곱셈 · 89

2 단계 교과 사고력 확장

✎ 정답과 풀이 p.22

3 주어진 곱셈식에서 ♥, ★, ♠이 각각 같은 수일 때, ♥, ★, ♠에 알맞은 수는 얼
마인지 구해 보세요.

❶

✿ 같은 두 수를 곱해서 곱의 일의 자리 숫자가 4인
경우를 찾으면 $2 \times 2=4, 8 \times 8=64$입니다.
♥ =2인 경우 $22 \times 2=44$ (○)
♥ =8인 경우 $88 \times 8=704$ (×)
따라서 ♥에 알맞은 수는 2입니다.

♥ =(2   )

❷

✿ 같은 두 수를 곱해서 곱의 일의 자리 숫자가 5인
경우를 찾으면 $5 \times 5=25$입니다.
★ =5일 때 $55 \times 5=275$이므로 ★에 알맞은
수는 5입니다.

★ =(5   )

❸

✿ 같은 두 수를 곱해서 곱의 일의 자리 숫자가 9인
경우를 찾으면 $3 \times 3=9, 7 \times 7=49$입니다.
♠ =3인 경우 $33 \times 3=99$ (×)
♠ =7인 경우 $77 \times 7=539$ (○)
따라서 ♠에 알맞은 수는 7입니다.

♠ =(7   )

90 · Run - **B** 3-1

4 전자 시계를 보고 다음과 같이 시각이 바뀌는 동안 시계의 긴바늘은 모두 몇 바퀴 도는
지 구해 보세요.

❶

오전 ● **11:00** → 오전 ● **11:00**
5월 1일   오후 ○   5월 4일   오후 ○

(72바퀴   )

✿ 5월 1일 오전 11시부터 5월 4일 오전 11시까지는 3일입니다.
시계의 긴바늘은 한 시간에 1바퀴 돌고 하루는 24시간이기 때
문에 하루에 24바퀴 돕니다.
(긴바늘이 3일 동안 도는 바퀴 수)$=24 \times 3=72$(바퀴)

❷
7월 3일 오전 ○   오후 ● **5:00** → 7월 5일 오전 ○   오후 ● **5:00**

(48바퀴   )

✿ 7월 3일 오후 5시부터 7월 5일 오후 5시까지는 2일입니다.
시계의 긴바늘은 한 시간에 1바퀴 돌고 하루는 24시간이기
때문에 하루에 24바퀴 돕니다.
(긴바늘이 2일 동안 도는 바퀴 수)$=24 \times 2=48$(바퀴)

❸
6월 10일 오전 ●   오후 ○ **6:00** → 6월 12일 오전 ○   오후 ● **6:00**

(60바퀴   )

✿ 6월 10일 오전 6시부터 6월 12일 오전 6시까지는 2일입니다.
오전 6시부터 오후 6시까지는 12시간입니다.
(긴바늘이 2일 동안 도는 바퀴 수)$=24 \times 2=48$(바퀴)이고
12바퀴를 더 돌므로 $48+12=60$(바퀴)입니다.

4. 곱셈 · 91

3단계 교과 사고력 완성

정답과 풀이 p.23

평가 영역 □개념 이해력 ☑개념 응용력 □창의력 □문제 해결력

1 과녁 맞히기 놀이에서 정국이가 맞힌 과녁입니다. 정국이가 얻은 점수는 모두 몇 점일까요?

(**125점**)

✤ 25점에 2번 ➜ $25 \times 2 = 50$(점)
15점에 5번 ➜ $15 \times 5 = 75$(점)
➜ $50 + 75 = 125$(점)

평가 영역 □개념 이해력 □개념 응용력 □창의력 ☑문제 해결력

2 한 장의 길이가 29 cm인 색 테이프 3장을 9 cm씩 겹쳐서 이어 붙였습니다. 이어 붙인 색 테이프의 전체 길이는 몇 cm인지 구해 보세요.

(**69 cm**)

✤ (색 테이프 3장의 길이의 합) $= 29 \times 3 = 87$ (cm)
(겹쳐진 부분의 길이의 합) $= 9 \times 2 = 18$ (cm)
➜ (색 테이프의 전체 길이) $= 87 - 18 = 69$ (cm)

평가 영역 □개념 이해력 □개념 응용력 ☑창의력 □문제 해결력

3 선을 따라 만나는 곳에 알맞은 계산 결과를 써넣으세요.

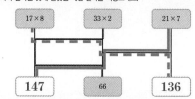

✤ $33 \times 2 = 66$, $17 \times 8 = 136$, $21 \times 7 = 147$

평가 영역 □개념 이해력 □개념 응용력 □창의력 ☑문제 해결력

4 계산이 바르게 된 길만 지나갈 수 있습니다. 다람쥐가 도토리를 먹으러 갈 수 있는 길을 선으로 그어 보세요.

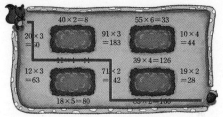

✤ $40 \times 2 = 80$, $91 \times 3 = 273$, $55 \times 6 = 330$, $10 \times 4 = 40$
$12 \times 3 = 36$, $18 \times 5 = 90$, $39 \times 4 = 156$, $19 \times 2 = 38$

Test 종합평가   4. 곱셈

맞은 개수

정답과 풀이 p.23

1 수 모형을 보고 □ 안에 알맞은 수를 써넣으세요.

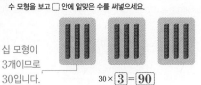

십 모형이
3개이므로
30입니다.

$30 \times \boxed{3} = \boxed{90}$

2 수직선을 보고 □ 안에 알맞은 수를 써넣으세요.

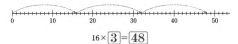

$16 \times \boxed{3} = \boxed{48}$

✤ 16씩 3번 뛰어 센 것입니다. ➜ $16 \times 3 = 48$

3 계산해 보세요.

(1) $\begin{array}{r} 4\ 0 \\ \times\quad 2 \\ \hline 8\ 0 \end{array}$

(2) $\begin{array}{r} 3\ 0 \\ \times\quad 2 \\ \hline 6\ 0 \end{array}$

(3) $51 \times 4 = $ **204**

(4) $18 \times 3 = $ **54**

✤ (3) $\begin{array}{r} 5\ 1 \\ \times\quad 4 \\ \hline 2\ 0\ 4 \end{array}$ (4) $\begin{array}{r} \overset{2}{1}\ 8 \\ \times\quad 3 \\ \hline 5\ 4 \end{array}$

4 빈 곳에 알맞은 수를 써넣으세요.

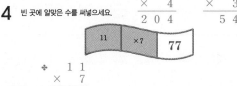

✤ $\begin{array}{r} 1\ 1 \\ \times\quad 7 \\ \hline 7\ 7 \end{array}$

5 계산 결과를 비교하여 ○ 안에 >, =, <를 알맞게 써넣으세요.

(1) 82×4 ⊙ 320

(2) 65×6 ⊙ 400

✤ (1) $82 \times 4 = 328$ ➜ $328 > 320$
(2) $65 \times 6 = 390$ ➜ $390 < 400$

6 잘못된 부분을 찾아서 바르게 고쳐 보세요.

✤ 십의 자리의 계산 $6 \times 4 = 24$는 실제로 $60 \times 4 = 240$을 나타냅니다.

7 계산 결과를 찾아 선으로 이어 보세요.

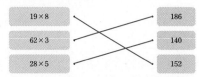

✤ $19 \times 8 = 152$, $62 \times 3 = 186$, $28 \times 5 = 140$

8 곱셈식을 보고 올림한 수 ②가 실제로 나타내는 값을 구해 보세요.

(**20**)

✤ 일의 자리의 계산 $6 \times 4 = 24$에서 십의 자리 수 2를 올림한 것이므로 실제로 20을 나타냅니다.

Test 종합평가 4. 곱셈

정답과 풀이 p.24

9 빈 곳에 알맞은 수를 써넣으세요.

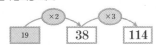

❖ $19 \times 2 = 38$, $38 \times 3 = 114$

10 가장 큰 수와 가장 작은 수의 곱을 구해 보세요.

| 29 53 8 7 |

(**371**)

❖ $53 > 29 > 8 > 7$이므로 가장 큰 수는 53이고, 가장 작은 수는 7입니다. ➡ $53 \times 7 = 371$

11 빵을 한 모둠에 30개씩 3모둠에게 나누어 주려고 합니다. 필요한 빵은 모두 몇 개일까요?

(**90개**)

❖ (필요한 빵의 수) $= 30 \times 3 = 90$(개)

12 ㉠과 ㉡의 합을 구해 보세요.

| ㉠ 72×2 ㉡ 29×6 |

(**318**)

❖ ㉠ $72 \times 2 = 144$ ㉡ $29 \times 6 = 174$
➡ ㉠ + ㉡ $= 144 + 174 = 318$

13 가영이는 하루에 28분씩 매일 달리기를 합니다. 가영이가 일주일 동안 달리기를 하는 시간은 모두 몇 분인지 구해 보세요.

(**196분**)

❖ 일주일은 7일이므로 $28 \times 7 = 196$(분)입니다.

14 물감으로 곱셈식의 수가 지워졌습니다. 지워진 수를 구해 보세요.

$$\begin{array}{r} \heartsuit 8 \\ \times \quad 3 \\ \hline 2\ 3\ 4 \end{array}$$

❖ $8 \times 3 = 24$이므로 잉크로 지워진 수를 (**7**) □라 하면 □ $\times 3$과 2의 합은 23입니다.
□ $\times 3 = 21$ ➡ □ $= 7$입니다.

15 어떤 수에 3을 곱해야 할 것을 잘못하여 3을 더했더니 22가 되었습니다. 바르게 계산한 값을 구해 보세요.

(**57**)

❖ 어떤 수를 □라 하면 □ $+ 3 = 22$ ➡ □ $= 19$입니다.
따라서 바르게 계산하면 $19 \times 3 = 57$입니다.

16 정우는 동화책을 하루에 35쪽씩 읽었습니다. 5일 동안 읽은 동화책은 모두 몇 쪽인지 두 가지 방법으로 계산해 보세요.

방법1 예 $35 \times 5 = 175$이므로 5일 동안 읽은 동화책은 모두 175쪽입니다.

방법2 예 $35 + 35 + 35 + 35 + 35 = 175$이므로 5일 동안 읽은 동화책은 모두 175쪽입니다.

Test 종합평가 4. 곱셈

정답과 풀이 p.24

17 보기에서 규칙을 찾아 빈 곳에 알맞은 수를 써넣으세요.

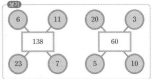

❖ $23 \times 6 = 138$이고 $20 \times 3 = 60$이므로 원 안의 수 중에서 가장 큰 수와 가장 작은 수의 곱을 사각형 안에 쓰는 규칙입니다.
➡ $51 > 37 > 8 > 4$이므로 $51 \times 4 = 204$입니다.

18 1부터 9까지의 수 중에서 □ 안에 들어갈 수 있는 수를 모두 구해 보세요.

| $35 \times \square < 19 \times 6$ |

(**1, 2, 3**)

❖ $19 \times 6 = 114$이므로 $35 \times \square < 114$이어야 합니다.
$35 \times 1 = 35$, $35 \times 2 = 70$, $35 \times 3 = 105$, $35 \times 4 = 140$이므로 □ 안에 들어갈 수 있는 수는 1, 2, 3입니다.

19 다음 세 장의 수 카드를 한 번씩만 사용하여 (몇십몇) × (몇)의 곱셈식을 만들려고 합니다. 곱이 가장 큰 곱셈식과 곱이 가장 작은 곱셈식을 만들고 각각 계산해 보세요.

[2] [5] [9]

곱이 가장 큰 식: [5][2] × [9] = [468]

곱이 가장 작은 식: [5][9] × [2] = [118]

❖ • 곱이 가장 큰 식 ➡ 두 번 곱하는 한 자리 수에 가장 큰 수 9를 쓰고, 5를 두 자리 수의 십의 자리, 2를 일의 자리에 씁니다.
• 곱이 가장 작은 식 ➡ 두 번 곱하는 한 자리 수에 가장 작은 수 2를 쓰고, 5를 두 자리 수의 십의 자리, 9를 일의 자리에 씁니다.

특강 창의·융합 사고력

정답과 풀이 p.24

1 계산기로 곱셈을 하려고 합니다. 계산기 버튼을 다음과 같은 순서로 눌렀을 때 나오는 계산 결과를 □ 안에 써넣으세요.

(1) [4] ➡ [0] ➡ [×] ➡ [2] ➡ [=] ➡ [80]
❖ $40 \times 2 = 80$

(2) [1] ➡ [7] ➡ [×] ➡ [3] ➡ [=] ➡ [51]
❖ $17 \times 3 = 51$

(3) [2] ➡ [3] ➡ [×] ➡ [3] ➡ [=] ➡ [69]
❖ $23 \times 3 = 69$

(4) [5] ➡ [4] ➡ [×] ➡ [2] ➡ [=] ➡ [108]
❖ $54 \times 2 = 108$

(5) [8] ➡ [2] ➡ [×] ➡ [4] ➡ [=] ➡ [328]
❖ $82 \times 4 = 328$

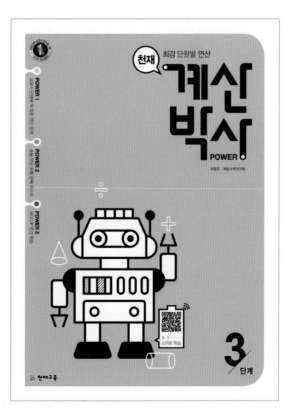

정답은
이안에
있어！

난이도 별점
쉬움 ★
보통 ★★★
어려움 ★★★★★
최상위 ★★★★★★★

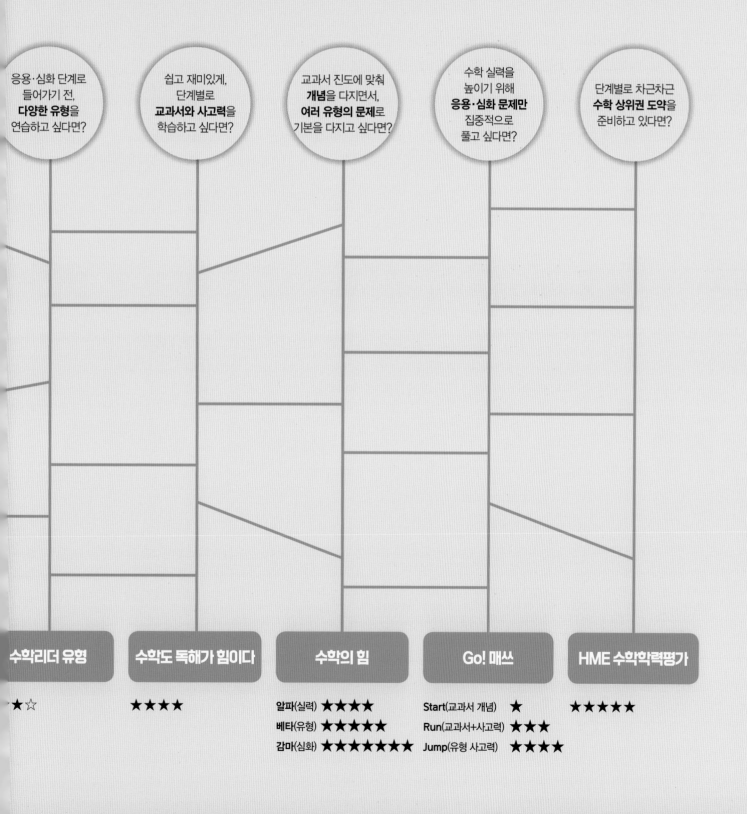

응용·심화 단계로
들어가기 전,
다양한 유형을
연습하고 싶다면?

쉽고 재미있게,
단계별로
교과서와 사고력을
학습하고 싶다면?

교과서 진도에 맞춰
개념을 다지면서,
여러 유형의 문제로
기본을 다지고 싶다면?

수학 실력을
높이기 위해
응용·심화 문제만
집중적으로
풀고 싶다면?

단계별로 차근차근
수학 상위권 도약을
준비하고 있다면?

수학리더 유형

수학도 독해가 힘이다

수학의 힘

Go! 매쓰

HME 수학학력평가

★★☆

★★★★

알파(실력) ★★★★
베타(유형) ★★★★★
감마(심화) ★★★★★★★

Start(교과서 개념) ★
Run(교과서+사고력) ★★★
Jump(유형 사고력) ★★★★

★★★★★

배움으로 행복한 내일을 꿈꾸는
천재교육 커뮤니티 안내 . . .

교재 안내부터 구매까지 한 번에!
천재교육 홈페이지

천재교육 홈페이지에서는 자사가 발행하는 참고서,
교과서에 대한 소개는 물론 도서 구매도 할 수 있습니다.
회원에게 지급되는 별을 모아 다양한 상품 응모에도
도전해 보세요.

구독, 좋아요는 필수! 핵유용 정보 가득한
천재교육 유튜브 <천재TV>

신간에 대한 자세한 정보가 궁금하세요?
참고서를 어떻게 활용해야 할지 고민인가요?
공부 외 다양한 고민을 해결해 줄 채널이 필요한가요?
학생들에게 꼭 필요한 콘텐츠로 가득한 천재TV로 놀러오세요!

다양한 교육 꿀팁에 깜짝 이벤트는 덤!
천재교육 인스타그램

천재교육의 새롭고 중요한 소식을 가장 먼저 접하고 싶다면?
천재교육 인스타그램 팔로우가 필수!
누구보다 빠르고 재미있게 천재교육의 소식을 전달합니다.
깜짝 이벤트도 수시로 진행되니 놓치지 마세요!